JARDÍN PRÁCTICO

Hierbas aromáticas
para el jardín y la cocina

› Fragancias en el hogar y sabores para su mesa
› Cultive su jardín con plantas y hierbas aromáticas en arriates y macetas

RENATE HUDAK

HISPANO EUROPEA

1 Planificación 4

2 Jardinería 24

3 Especies 90

1

Planificación

Elija las plantas según sus preferencias

Actualmente, las plantas aromáticas se han convertido en las estrellas de las plantas de jardín. Estas hierbas polivalentes se emplean cada vez con más frecuencia en arriates y macetas. Dan vida al jardín con sus agradables aromas y el colorido de sus flores. También son muy apreciadas por sus múltiples aplicaciones culinarias y medicinales.

Las plantas aromáticas son muy polivalentes y apropiadas tanto para arriates y planteles como para macetas. Su aroma enriquece espléndidamente cualquier jardín, terraza o balcón.

Plantas para todos los gustos

¿Le apetecería condimentar sus platos y ensaladas con hierbas aromáticas recién recolectadas, o mejorar sus recetas con hierbas frescas?, ¿sueña con un jardín aromático de estilo mediterráneo?, ¿o preferiría tener un «rincón silvestre» en el que poder cultivar plantas autóctonas medicinales o culinarias justo delante de la puerta de su casa?, ¿quizá desea aprovechar el colorido y las formas de las plantas para resaltar el color y los aromas de las demás plantas de su jardín?, ¿le gustaría prepararse un baño aromático o una infusión relajante con plantas de su propio jardín?

Todo eso es posible. Inspírese en estas plantas, descubra cuáles son sus preferencias y anímese a probar cosas nuevas: ¡Las plantas son capaces de satisfacer los deseos más personales!

Una cuestión de espacio

En un jardín grande es fácil cultivar las plantas que a uno más le gustan, pero si no se dispone de mucho espacio es importante elegir las plantas que pueden crecer mejor en el suelo y la situación de que se dispone. Quizá prefiera empezar por dedicar un pequeño arriate a sus plantas aromáticas y ver qué tal se desarrollan. O a lo mejor les encuentra un lugar apropiado en la terraza o en el balcón, o incluso como plantas colgantes en un farolillo. La repisa de la ventana de la cocina también puede ser un excelente lugar. Pero sea cuál sea su decisión, recuerde que las mayoría de las hierbas necesitan mucho sol para poder disfrutar de todo su aroma.

En este hermoso jardín se sentirá envuelto en el aroma de las plantas al pasear por sus caminos.

Plantas para todos los gustos

¿Prefiere disfrutar del colorido de sus flores, de sus aromas etéreos o de sus cualidades gastronómicas? Tanto en arriates como en macetas la diversidad de las hierbas es casi ilimitada.

Decidirse por las plantas aromáticas es preferir la diversidad, porque estas plantas no sólo hacen las delicias de los gastrónomos, sino también de los amantes de la estética natural y de aquellos que disfrutan con todo aquello que les proporcione sensación de bienestar.

Para todos los gustos

El aroma y el contenido de las plantas y hierbas culinarias recién recolectadas en el jardín o en la terraza no tienen nada que ver con los que ofrecen aquellas que se pueden comprar en el supermercado. Para asegurarse verdaderos placeres gastronómicos sólo hace falta tener siempre a mano algunas plantas de perejil, albahaca, estragón o eneldo, sea en el jardín, sea en las macetas de la terraza.

Flores aromáticas y medicinales

Las hierbas aromáticas son siempre un placer para el olfato. Al mismo tiempo, estas plantas también resultan muy agradables a la vista: las flores de salvia, por ejemplo, resultan muy ornamentales en el jardín entre las matas y flores de verano. Pero no sólo esto, ya que también resultan ideales para decorar la mesa cualquier día de verano o durante las fiestas.

Las hierbas silvestres y medicinales, como por ejemplo el llantén menor, la hierba de San Juan o la consuelda, crecen

Las plantas mediterráneas dan carácter a esta bonita terraza.

Las flores de caléndulas y salvias ponen una nota de color en este arriate para plantas.

igual de bien en el jardín que en una maceta colocada en el balcón. Así se puede disponer fácilmente de sus hojas y flores, y consumirlas sin correr el riesgo de que estén contaminadas por sustancias tóxicas. Las ensaladas e infusiones de hierbas silvestres no sólo resultan muy agradables, sino que también son muy buenas para la salud.

Plantas con carácter mediterráneo

Si en lugar de las hierbas autóctonas prefiere las de regiones más cálidas y soleadas propias del área mediterránea puede enriquecer su jardín con romero, lavanda, laurel y algunas variedades aromáticas de salvia. En este caso, incluso resulta una ventaja disponer de un balcón o terraza. Estos lugares resguardados y cálidos situados junto a la casa suelen conservar bien el calor y permiten que estas plantas

meridionales prosperen estupendamente y que sus hojas y brotes resulten especialmente aromáticos.

Plantas en el balcón

Muchas otras plantas crecen bien en macetas y jardineras colocadas en estanterías o en escaleras. Para la terraza y el balcón conviene elegir plantas que destaquen bien en macetas pequeñas, como por ejemplo salvia, lavanda, hisopo, bergamota silvestre o ajenjo plateado. La distribución de las macetas puede variarse según las circunstancias, por ejemplo para crear una pequeña selva verde en una fiesta infantil o para lograr un rincón romántico y aromático.

¿Plantas anuales o vivaces?

Las plantas anuales producen hojas, tallos, flores y semillas, pero mueren el mismo año en que han sido sembradas. Por lo tanto, hay que volver a sembrarlas cada año. Las bienales producen hojas y brotes durante el primer año, y flores y semillas durante el

segundo, en el que finalizan su ciclo vital. Al organizar sus arriates y macizos asegúrese de que las plantas dispongan de suficiente espacio. Si quiere tener flores todos los años deberá volver a sembrar regularmente para no quedarse sin ellas. Las hierbas vivaces, en cambio, van produciendo brotes, hojas y flores durante muchos años y llegan a convertirse en magníficos ejemplares (véanse las descripciones a partir de la página 90).

¿Cuántas hacen falta?

En las plantas muy exuberantes, como la artemisa, el levístico o el hinojo aromático, basta con un sólo ejemplar. Por otra parte, la cantidad de plantas de una misma especie a cultivar también dependerá mucho de sus preferencias personales. Así, mientras las hojas de albahaca se suelen emplear con frecuencia en la cocina, es menos habitual añadir lavanda a las ensaladas o potajes. Si desea mantener una buena provisión de hierbas secas debe cultivar de tres a cinco especies, sea en macetas, sea en el jardín.

Sugerencia

FRESCOR DE LIMÓN A LO GRANDE

Plante varias plantas aromáticas en un arriate del jardín o en una jardinera de la terraza y analice sus aromas: ¿Cuál es la que desprende un aroma a limón más intenso? Las que desprenden más aroma a limón son la hierbaluisa, la melisa, el tomillo, el hisopo, el geranio y el ajenjo.

Aquí crecerán a sus anchas

Las plantas pueden prosperar en condiciones muy diversas: tanto si en su jardín predominan las zonas soleadas como las sombrías, y si el suelo es arenoso o arcilloso, siempre encontrará plantas que se adapten a esas condiciones.

El desarrollo de sus plantas vendrá determinado por la ubicación y por las características del suelo. Si dispone alrededor de la casa de parterres y espacios aptos para plantas, entonces podrá cultivar todo lo que desee ya que encontrará lugares cálidos, soleados y resguardados, y otros sombríos o con semisombra.

Pero si cuenta con poco espacio o solamente unas condiciones determinadas, entonces deberá elegir las plantas que mejor se adapten. Por muy problemático que a simple vista pueda parecernos un lugar, siempre encontraremos algunas plantas que puedan prosperar bien en él. Pero a la hora de hacer la elección también deberá tener en cuenta las características del suelo. Un sustrato muy bueno puede hacer que las plantas crezcan estupendamente aunque les falte algo de luz, mientras que estas no se desarrollarán bien en un sustrato demasiado compacto y pesado aunque esté a pleno sol. Tenga muy en cuenta todos estos factores a la hora de planificar su jardín de hierbas, así conseguirá que crezcan en todo su esplendor y que le proporcionen los aromas y sabores que espera de ellas.

Plantas de sol y de sombra

En función de la cantidad de luz que necesiten, podemos dividir las plantas en dos grandes grupos: las que necesitan sol y calor y las que prefieren la sombra.

A pleno sol

Entre las plantas que necesitan vivir a pleno sol encontramos la siempreviva, la mejorana, la albahaca, la lavanda, el orégano, el romero, la salvia y el tomillo. Estas hierbas son propias de latitudes meridionales, por lo que para poder desarrollar su aroma característico necesitan unas condiciones similares a las de sus lugares de origen. Cuanto más caluroso y soleado sea el lugar que les ofrezcamos, mayor será la producción de aceites esenciales en sus hojas y tallos, lo cual hará que sean más intensos tanto su aroma como su sabor. En zonas de sombra o semisombra resultan muy poco

Las plantas mediterráneas consiguen crear bonitas composiciones en los arriates pequeños y soleados.

El ajo de oso y las violetas viven bien en lugares sombreados con hostas, y tapizan densamente el suelo entre las demás plantas.

crece bien en tierra de jardín que sea algo permeable y no muy pesada. Sin embargo, muy pocas toleran tener las raíces permanentemente mojadas. Aparte de los berros y otras plantas ribereñas que necesitan mucha agua, a las demás no hay que proporcionarles un sustrato encharcado. Antes de organizar los arriates y comprar las plantas, determine cuál es el tipo de suelo de su jardín. Haga la «prueba del suelo» (véanse las páginas 30/31) y mejórelo si es necesario (véase la página 44). Algunas plantas especialmente «austeras» pueden crecer bien en suelos sueltos, arenosos y permeables, sin que sea necesario enriquecerlos añadiendo humus. Entre estas se cuentan el tomillo, la samarilla, la hierba de San Juan, la artemisa, el gordolobo y el ajenjo.

Si se van a emplear macetas el asunto es mucho más sencillo, porque entonces se puede preparar el sustrato ideal para cada planta.

aromáticas y florecen escasamente o no lo hacen en absoluto. La mayoría de las plantas de flor, como la capuchina, el gordolobo y la bergamota silvestre también necesitan algunas horas de sol al día. Y lo mismo sucede con plantas silvestres como la hierba de San Juan y la milenrama.

Felices a la sombra

En los lugares sombríos también se pueden obtener buenos aromas, como por ejemplo el del ajo de oso, y también encontramos muchas flores, como las de aspérula olorosa, que ponen una nota de color incluso en los rincones más oscuros del jardín. La mayoría de las plantas para lugares sombríos son plantas de bosque que en la naturaleza crecen a la sombra de árboles y arbustos. Sus hojas suelen ser grandes, carnosas y de un color verde intenso, como las de la angélica y el perifollo oloroso. Algunas plantas prosperan bastante bien en lugares en semisombra, a pesar de que les convendría más estar a pleno sol. Entre ellas encontramos algunas de las que habitualmente se emplean para infusiones, como por ejemplo el llantén menor, la menta, la melisa, el rábano rusticano, el tanaceto y el levístico.

Sustrato ideal para las plantas

La mayor parte de este tipo de plantas es muy poco exigente y

---

Recuerde

CÓMO RECONOCER LAS PLANTAS QUE NECESITAN MUCHO SOL

✔ las hojas de color verde azulado o grisáceo, como las de la lavanda y la salvia, ayudan a evitar la transpiración excesiva;

✔ la misma finalidad tienen las hojas pilosas como las del gordolobo;

✔ las hojas carnosas, como las del sedo, proporcionan reservas de agua;

✔ los tallos y hojas resinosos y pegajosos, como los de las caléndulas, denotan un elevado contenido en aceites esenciales.

Diversidad en el cultivo de plantas

La diversidad de formas de las plantas, unida a la variedad de los colores de sus hojas y flores, hace que resulten ideales para conseguir las combinaciones más creativas y sorprendentes. Añaden variedad a los planteles de hortalizas, dan una nota aromática entre las flores del jardín y crecen tapizantes entre las losas o recubriendo las rocas.

Las hierbas siempre nos sorprenden con algo nuevo: colóquelas para que florezcan entre las matas y las flores de verano, para que añadan su aroma al de los rosales o para que den una atractiva nota de color entre verduras y hortalizas. Aproveche la amplia variedad de posibilidades ornamentales que le ofrecen las hierbas, y saque partido a su tamaño, su morfología, la forma y el color de sus hojas y flores. El tomillo, por ejemplo, decora los jardines de rocalla a los que da una nota de color. Las plantas de hojas grandes,

como el rábano rusticano, se pueden emplear para crear un hermoso contraste con las delicadas hojas del perifollo y del eneldo. Las hojas lanosas del gordolobo incitan a que las acariciemos. Las plantas enanas, como aspérula olorosa, tapizan el suelo añadiéndole su aroma, mientras que las plantas solitarias y grandes, como el hinojo aromático y la angélica, dominan los arriates con su presencia.

Ideales para combinar

La mayor parte de las hierbas resultan ideales para combinar con las plantas del jardín o con los planteles de rosales. Es fácil conseguir estupendas combinaciones a base de hierbas aromáticas y floridas tales como la lavanda, la salvia y

el orégano. También se integran bien en los muros de piedra seca, así como entre las losas de los senderos.

Las hierbas entran en escena

Las hierbas le ofrecen un amplio abanico de posibilidades ornamentales. Una espiral de hierbas, en la que se combinan una amplia variedad de aromas en un mínimo espacio, permite conseguir un efecto muy atractivo e inusual, a la vez que se puede convertir en el centro de atracción del jardín. También se puede crear un buen efecto con un arriate mixto de hierbas y hortalizas, una pradera de plantas silvestres o un idílico rincón aromático en una esquina del jardín.

Un agradable y aromático rincón para reposar entre plantas enormes (hinojo rojo) y otras diminutas (tomillo tapizante).

Buscada y encontrada: acompañantes para las hierbas

Muchas plantas herbáceas prosperan estupendamente entre flores multicolores, hortalizas o junto a las flores perennes del jardín. La facilidad para combinarlas hace que siempre sea fácil encontrarles un lugar adecuado.

La alquimila resulta ideal para bordear los caminos del jardín.

Además combinan perfectamente con muchas otras plantas de jardín que nos ofrecen flores y hortalizas.

Cómo combinar las plantas herbáceas

Para realizar combinaciones de plantas en el jardín no hace falta disponer de mucho espacio ni realizar un gran esfuerzo. La diversidad y adaptabilidad de las hierbas nos permite emplearlas para rodear arriates y macizos de flores, para añadir notas de color y aroma entre las matas o en los muros de piedra, en macetas situadas entre las flores de verano o para resaltar los senderos del jardín. Incluso pueden destacar mucho en un pequeño huerto para hortalizas (véanse las páginas 34/35).

Un popurrí de hierbas y flores

Complemente con hierbas anuales las bonitas flores de verano que florecen incansablemente desde finales de primavera hasta finales de verano, tanto en arriates como en jardineras. Le asombrará ver lo bien que combinan el armuelle rojo, el eneldo y el puerro con los girasoles grandes y otras flores similares. Junto a las pequeñas flores de verano cultivadas en arriates o jardineras pueden colocarse capuchinas y variedades de albahaca de hojas rojas. Se consiguen buenos efectos no sólo con sus flores sino también con sus hojas.

Si le gustan las hierbas anuales con hojas de colores o de formas curiosas, le recomendamos que acuda a tiendas especializadas en semillas. Verá que la oferta es muy amplia.

A cobijo de las matas

Las hierbas también pueden convivir bien con las matas de hojas o flores ornamentales: las plantas perennes de su pequeño paraíso vegetal. Para asegurar la convivencia de las plantas a largo plazo agrupe matas y hierbas que tengan unas mismas necesidades. Así, por ejemplo, combine hierbas silvestres y de primavera como ajo de oso, pulmonaria y aspérula olorosa con matas de floración temprana tales como epimedios y primaveras. Estas plantas también tapizarán el suelo bajo setos y arbustos. En otros lugares también en semisombra puede conseguir un hermoso efecto combinando matas altas, como helechos de color verde claro y hostas de hojas anchas, con consuelda y menta. En los arriates a pleno sol conseguirá unos tonos cálidos y veraniegos colocando bergamota silvestre o anís junto a matas de flor tales como las centauras.

Las matas que necesitan lugares secos también pueden gozar de la compañía de plantas herbáceas multicolor. Plante

junto a ellas orégano o tomillo, salvia, gordolobo, hierba de San Juan o menta.

Una combinación ideal: plantas herbáceas y hortalizas

Las hierbas y las hortalizas no sólo combinan bien en la cocina sino también en el huerto. Sus exigencias en cuanto a suelo y ubicación suelen ser bastante similares, por lo que crecerán bien en el mismo sitio. Las plantas herbáceas con hojas coloreadas y flores crean un buen contraste con las lechugas y verduras. En los huertos también es habitual encontrar hierbas de flor tales como caléndulas, capuchinas y borraja que florecen durante mucho tiempo. Entre las verduras también se pueden plantar hierbas con hojas de color gris, plateado o azulado. Las hierbas de hojas coloreadas o con manchas nos permitirán ver las verduras con otra luz. Conseguirá muy buenos resultados combinando hierbas y hortalizas de diferentes morfologías, como, por

La armuelle roja, la borraja y la caléndula ponen una nota de color entre las lechugas y hortalizas de este huerto.

ejemplo, colocando plantas anchas y redondeadas junto a otras altas y estilizadas. Las hierbas esbeltas, como el eneldo y el armuelle, combinan muy bien con las coles blancas o rojas.

Un marco aromático

Marcar y delimitar claramente los planteles del huerto y del jardín ayuda mucho a crear una sensación de orden en todo el conjunto. Separe bien unos arriates de otros, pero en vez de emplear vallas o setos coloque lavanda, cebollino, hisopo o santolina (véanse las páginas 36/37). Cuide y pode regularmente las plantas para que estas conserven siempre un buen aspecto.

Sugerencia

COMBINACIÓN CLÁSICA: ROSAL Y LAVANDA

Ya hace mucho tiempo que la lavanda abandonó los tradicionales arriates de hierbas para lanzarse a la conquista de los arriates de rosales. Tanto su color como su aroma combinan muy bien con los de «la reina de las flores» y, además, hacen desaparecer a algunos pulgones. Emplee lavanda de la variedad Hidcote Blue con las rosas de color amarillo o rosa, y lavanda blanca de la variedad Alba con las de color rojo.

15

Jardín de hierbas tradicional

El cultivo de plantas herbáceas en los jardines de los monasterios tiene una larga historia. Durante siglos la distribución formal de esos jardines ha venido manteniéndose inalterada y hoy en día sigue siendo de máxima actualidad.

El color verde azulado de la ruda de esta rotonda crea un bonito contraste con el color verde de los setos de boj.

Si le apetece reproducir la estructura de estos jardines formales, disfrutará mucho organizando su jardín como los de los monasterios o creando algunos arriates de acuerdo con ese característico estilo.

Geometría en el jardín de plantas herbáceas

La mayoría de los jardines de los monasterios se organizaban siguiendo las mismas pautas: una superficie cuadrada o rectangular era dividida en varios arriates del mismo tamaño con formas geométricas (cuadrados, rombos, rectángulos, triángulos). Entre ellos discurrían senderos también regulares que tenían el suelo recubierto de losas o adoquines. En el centro del jardín solía haber una rotonda de plantas con un arbusto central, un árbol, una fuente o una estatua. Medite bien si desea organizar su jardín de esta forma o si prefiere reservar solamente una zona para las hierbas culinarias y medicinales. En este caso necesitará disponer al menos de 15 m², aunque también puede optar por efectuar un trabajo a escala y crear sólo algunos arriates formales. En los jardines clásicos de los monasterios, los arriates estaban delimitados por tablones colocados en los bordes y luego con pequeños setos de boj o santolina. Usted puede hacer lo mismo en su jardín y emplear también lavanda, siempreviva o hisopo

Una buena división de los arriates permite combinar plantas y hortalizas en muy poco espacio.

para delimitar los arriates. También puede optar por utilizar una planta diferente para delimitar cada arriate. Los setos pequeños hay que podarlos regularmente para que conserven su forma, de lo contrario adquieren un aspecto descuidado y roban espacio y luz a las hierbas de los arriates. Por otra parte, estas borduras no sólo tienen una finalidad ornamental, sino también un uso práctico, ya que permiten que la temperatura del arriate que protegen aumente en 1-2 °C a ras de suelo. Las hierbas también contribuyen a reducir la acción del viento y permiten que las plantas se desarrollen mejor al estar protegidas.

Setos como motivos ornamentales

Los jardines de los monasterios tenían un atractivo muy especial para las gentes de otras épocas; en el fondo eran una especie de «rincones

paradisíacos» protegidos por muros o setos. Usted también puede lograr ese efecto tradicional mediante el empleo de setos de carpe, haya roja o frambuesos bien podados para darles forma. Trace también entradas desde todos los puntos cardinales formadas por arcos de plantas trepadoras tales como rosales perfumados.

Distribución de las plantas

En los densos arriates de los jardines de los monasterios, las plantas eran distribuidas de forma que creasen todo tipo de dibujos geométricos a base de combinar plantas de diferente morfología, altura, y color de sus flores, así como la forma de sus hojas. Para conseguir un efecto similar, elija para cada arriate hierbas de una altura similar pero que se diferencien claramente por el color o la forma de sus hojas. Así obtendrá una estructura

variada siguiendo un modelo histórico; puede alternar, por ejemplo, tomillo de hojas verdes con tomillo de hojas amarillas o combinar salvia de hojas violetas con salvia de hojas grises. Otro efecto muy atractivo es el que se obtiene mediante un arriate ordenado por alturas, hecho con artemisa en el centro y hierba de San Juan y bergamota silvestre en los bordes. Para poder realizar este tipo de combinaciones es imprescindible emplear plantas que planteen los mismos requerimientos en cuanto a suelo e iluminación. También hay que tener en cuenta su velocidad y densidad de crecimiento. Una capuchina, por ejemplo, no tardaría en cubrir al tomillo reptante. Si se dispone de mucho espacio se pueden crear arriates con plantas de buen tamaño, pero en los jardines pequeños es preferible emplear especies que no crezcan demasiado.

Información

VENTAJAS DE LOS ARRIATES Y JARDINES FORMALES

- La disposición geométrica y bien ordenada hace que los jardines pequeños presenten un buen aspecto aunque cuenten con una gran diversidad de plantas.
- Una buena densidad de plantación impide que aparezcan malas hierbas.
- Al estar los arriates bien delimitados, las plantas resultan más fáciles de cuidar y de recolectar. Los senderos permiten un fácil acceso para realizar los trabajos de riego, acolchado y poda de todas las plantas.

De la espiral de hierbas al sendero aromático

Quienes busquen nuevas ideas para introducir hierbas aromáticas en sus jardines o terrazas, pueden contar con diversas alternativas en función del espacio del que dispongan.

Las plantas herbáceas no sólo presentan una gran diversidad de formas y colores, sino que también podemos incluirlas en el jardín de muchas maneras distintas. Son muy adecuadas para crear todo tipo de combinaciones ornamentales. En los jardines grandes resulta muy atractivo crear un cultivo en espiral en el que se mezclen varias especies, pero en los pequeños también hay suficiente espacio para incluir algunas plantas aromáticas, por ejemplo entre las losas del camino o en un arriate a pleno sol.

Plantas herbáceas y piedras

El cultivo en espiral (véanse las páginas 38/40) es una magnífica solución para tener una buena diversidad de hierbas en un lugar soleado. Para ello hay que construir con piedra natural o con ladrillos un muro en espiral, rellenar el interior con tierra y plantar en ella distintas hierbas. De esta forma se pueden cultivar muchas plantas en un espacio reducido. Así se consigue disponer de zonas soleadas y sombrías cercanas entre sí, por lo que es posible tener plantas que necesiten condiciones ambientales distintas. También se les pueden ofrecer diferentes tipos de sustrato que se adapten bien a sus necesidades, ya que no es necesario rellenar toda la espiral con el mismo tipo de tierra. El resultado es que una espiral madura suele ser un espectáculo de colores y aromas, ya que las plantas crecen sanas y fuertes hasta alcanzar su máximo esplendor. Para construir una espiral de plantas herbáceas es necesario disponer de una superficie de por lo menos 1,5 × 1,5 m. Si dispone de espacio para construir una espiral cuya base tenga más de 8 m^2 puede incluir en su parte inferior una zona húmeda o un pequeño estanque para plantas palustres. Empiece por planificar qué materiales son los que mejor encajan en su jardín y qué tipo de rocas son las más fáciles de conseguir y las que pueden resultar más económicas.

El que se siente en este «trono» aromático se sentirá verdaderamente como el rey de su jardín.

En la pradera de plantas silvestres florecen una gran diversidad de especies.

Búsquelas en canteras, fábricas de ladrillos o almacenes de materiales para la construcción. Con rocas y plantas herbáceas también pueden llevarse a cabo otros proyectos de jardinería muy atractivos. Si emplean piedras sueltas (sin cemento) para construir un pequeño muro de 0,5-1 m de altura obtendrá una pared de piedra seca (véanse las páginas 40/41) llena de grietas y aberturas en las que podrán crecer muchas hierbas. Se pueden emplear para consolidar jardines en pendiente y allanar su parte superior. Los muros de piedra seca también suelen emplearse como «vallas de piedra» o para separar las diferentes zonas del jardín y darles un aire muy romántico. Pueden ser uniformes o tener unas zonas más altas que otras.

Cultivo en terrazas

Los jardines en pendiente pueden escalonarse mediante una sucesión de muros y conseguir así terrazas en distintos planos que resulten fáciles de plantar. Su construcción implica un esfuerzo considerable, pero el resultado vale la pena. Las plantas herbáceas son ideales para las terrazas orientadas hacia el sur (véanse las páginas 40/41).

Una pradera multicolor

En un jardín natural encaja muy bien una pequeña parte dedicada a las plantas herbáceas (véase la página 43). Sembrando una mezcla de semillas de plantas silvestres (de venta en centros de jardinería) resulta muy fácil transformar un aburrido césped en una superficie multicolor, aunque no servirá como zona de juegos ni para estirarse encima. También se puede optar por dejar que una parte del césped ya existente se convierta en un pequeño oasis de plantas herbáceas. Para ello bastará con no pasar la cortacésped por esa zona cada vez que se siegue el resto. Las plantas herbáceas son ideales para los rincones poco transitados del jardín en los que puedan crecer a sus anchas.

Aromas a cada paso

Un sendero flanqueado por tomillo y manzanilla es una buena invitación a entrar en un jardín. Deje que crezcan hierbas aromáticas entre las losas de los senderos de su jardín. Para ello, bastará que plante o siembre hierbas en los intersticios que quedan entre las losas o adoquines en el momento de construir el sendero (véanse las páginas 42/43). Si las separaciones son suficientemente amplias, también podrá colocar hierbas en los senderos ya construidos. Estas pequeñas plantas aromáticas despliegan especialmente sus encantos en lugares bien expuestos al sol.

Tome asiento

Los bancos aromáticos, característicos de los jardines del barroco, son asientos ligeramente cóncavos que dejan espacio para plantas pequeñas y tapizantes (véase la página 43). Puede construirse su propio banco con maderas adquiridas en cualquier almacén de materiales para la construcción.

Sugerencia

SIGUIENDO UNA MISMA LÍNEA

Cuando construya los senderos, muros, terrazas y demás elementos de su jardín procure emplear los mismos materiales y no abusar de las mezclas. Si las terrazas, caminos, bordes de arriates, etc. presentan una homogeneidad de colores, estructuras y materiales, adquieren un aspecto más agradable a la vista y el conjunto resulta mucho más armonioso.

Plantas herbáceas en terrazas y balcones

Los balcones y terrazas son lugares ideales para estas plantas. La proximidad a la cocina resulta muy práctica, y con un poco de ingenio es fácil cultivar muchas plantas cuyo atractivo no tiene nada que envidiar al de las especies ornamentales más populares.

La mayoría de las plantas crecen bien en macetas. Un conjunto multicolor puede prolongarse de unas macetas a otras o se puede colocar en una misma jardinera. Son un excelente complemento las flores de verano y las matas ornamentales que suelen cultivarse en las terrazas. Si se ordenan bien se pueden mantener muchas plantas en un espacio mínimo. Las plantas tapizantes o colgantes también viven muy bien en macetas, y pueden ser plantadas tanto en farolillos colgantes como en jardineras. Si lo que desea es tener sus macetas con plantas en la repisa de la ventana, será mejor que se decida por especies que no crezcan mucho.

Un jardín de macetas

Antes de decidirse a llenar sus macetas con plantas e ir al centro de jardinería más próximo, lo mejor será que analice detenidamente el espacio disponible. Si se procura una estantería apropiada podrá distribuir sus macetas a lo alto y le será posible mantener muchas plantas distintas en muy poco espacio. Otra opción para tener hierbas en el balcón o en la terraza consiste en crear una cascada vegetal a base de apilar las macetas; para ello hay que empezar por colocar en la base la de mayor diámetro e ir disminuyéndolo progresivamente hacia arriba. Además, en el comercio podrá encontrar macetas especiales para hierbas, que están provistas de aperturas laterales para colocar plantas pequeñas, como por ejemplo tomillo. Sin embargo, la mayoría de las plantas también viven bien en macetas colocadas en el suelo o sujetas a la barandilla. Algunas, como por ejemplo el orégano, la capuchina, el sedo o el romero colgante, viven mejor en macetas colgantes. Proporcione a cada planta también el sustrato y la iluminación que necesite. Al planificar el conjunto, tenga muy en cuenta cuáles son las condiciones de luz del lugar. Las plantas herbáceas que prefieren sombra no viven bien en una terraza o balcón orientado hacia el sur, por lo que no se desarrollarían correctamente. Una vez aclarados todos estos detalles, elija el mejor rincón para sus hierbas.

Hierbas ideales para el cultivo en maceta

En las macetas podemos cultivar todas aquellas hierbas cuyas raíces no necesiten mucho espacio. Entre ellas se cuentan la mayoría de las especies anuales, tales como la albahaca, así como aquellas que tienen que invernar resguardadas de las heladas, como por ejemplo el romero y la verbena. También viven bien en maceta plantas perennes como la lavanda, la melisa y el curry. Pero necesitan macetas

Esta bonita cascada de plantas permite combinar muchas plantas en poco espacio.

grandes, ya que se suelen vender con sus raíces afianzadas en el sustrato, de manera que sólo hay que colocarlas en el recipiente.

Dado que consumen rápidamente las reservas, deberá controlar regularmente que el sustrato esté suficientemente húmedo y regar cuando haga falta (véanse las páginas 60/61). En el comercio encontrará fertilizantes polivalentes e incluso algunos especiales para plantas herbáceas capaces de hacer que sus plantas crezcan espléndidamente.

Macetas

En las floristerías y centros de jardinería encontrará una amplísima variedad de macetas, tiestos y jardineras; también hay macetas colgantes de alambre, cerámica, mimbre, plástico o fibra de coco. Elija el estilo y el color que más le gusten o que mejor combinen con el mobiliario de su terraza. Es muy importante que todos estos recipientes cuenten con un orificio de drenaje para que las raíces de las plantas no estén siempre sumergidas en agua. Aparte de los recipientes convencionales, también se pueden emplear latas de aspecto atractivo, como algunas de las utilizadas para envasar aceite de oliva. También en este caso habrá que hacer un orificio de drenaje. Dado que el metal se oxida y el óxido puede resultar perjudicial para las plantas, lo mejor es recubrir su interior con

una lámina de plástico. Antes de colocar la tierra y las plantas no se olvide de hacer también algunos agujeros para que pueda drenar el agua.

Un poco de armonía

La combinación de recipientes y plantas es lo que le dará un aire personal a su terraza. Las personas a las que les gusta el ambiente mediterráneo suelen elegir plantas como la lavanda y

el romero, y plantarlas en macetas de terracota. También se pueden conseguir efectos muy atractivos plantando flores en macetas vitrificadas, como por ejemplo hierbas con flores azules en macetas de color amarillo intenso, o bien combinar tonos. En un cesto grande de mimbre se puede alojar un conjunto multicolor a base de perejil, cebollino, berro y perifollo.

En una pequeña terraza puede haber lugar para muchas plantas. Las estanterías ayudan a aprovechar mejor el espacio y resultan muy decorativas.

>PREGUNTAS Y RESPUESTAS

Sugerencias de los expertos para la planificación

Las hierbas son algunas de las plantas más fáciles de cultivar en macetas y arriates. Sin embargo, es normal que siempre nos planteemos algunas cuestiones al respecto. Lógicamente, necesitan un sustrato y una ubicación que satisfagan sus necesidades. El conjunto ha de resultar armonioso.

? En un parque he visto una extensión de ajo de oso en flor. ¿Puedo colocar esta bonita planta tapizante bajo los arbustos de mi jardín?

El ajo de oso crece especialmente bien en las zonas sombrías y húmedas del jardín, de donde puede ser recolectado directamente. Pero ha de tener en cuenta que el ajo de oso se marchita poco después de la floración, por lo que sus hojas empezarán a estropearse rápidamente a partir de finales de primavera y al cabo de cuatro semanas ya habrá desaparecido aquella hermosa alfombra verde. Por lo tanto, no es la planta más adecuada si lo que usted desea es que el suelo esté permanentemente cubierto de verde.

En ese caso es más recomendable plantar aspérula olorosa o alguna variedad de consuelda de pequeño tamaño.

? Estoy buscando macetas que me vayan bien para poner plantas en la terraza. ¿Van mejor las de arcilla o las de plástico?

En las de arcilla se suele conseguir un microclima mejor que en las de plástico. Además, no se corre el riesgo de que las raíces queden encharcadas ya que la terracota sin vitrificar es permeable y permite que el agua transpire hacia el exterior, lo cual es imposible en las macetas de plástico.

Por otra parte, las macetas y jardineras de plástico de gran tamaño resultan más prácticas ya que son mucho más ligeras que las de terracota. Siempre es mejor elegir recipientes de colores claros. Las macetas de plástico de color negro pueden calentarse mucho en verano y las raíces de las plantas llegar casi a cocerse en ellas. Los recipientes de cerámica, arcilla vitrificada, metal, piedra

artificial, porcelana o madera son muy decorativos y resultan ideales como maceteros, pero no plante directamente en ellos a menos que tengan un orificio de drenaje o cuenten con una buena capa de drenaje a base de arcilla, grava y arena. De todos modos, cuando llueva durante varios días seguidos no se olvide de comprobar si realmente no se acumula agua en esos recipientes. De lo contrario, las hierbas acabarán ahogándose en sus preciosos maceteros.

? ¿Es posible realizar un arriate elevado para plantas herbáceas parecido a los que se hacen para las hortalizas? En caso afirmativo ¿qué debería tener en cuenta?

Los arriates elevados resultan ideales para las personas que sufren problemas de espalda. Un plantel de hortalizas elevado suele estar formado por una estructura externa de madera que aguanta varias capas de sustrato a base de compost, mantillo, etc. Para las plantas herbáceas habrá que hacer algo similar. Busque una superficie de aproximadamente 2 m de longitud por 1,2 m de anchura que esté situada en un lugar soleado y rodéela de una empalizada de 0,8-1 m de altura formada por estacas o tablones. A continuación llene el interior con tierra de jardín. El perímetro también puede consolidarse con ladrillos o con piedra natural. Eso resulta especialmente apropiado para las plantas herbáceas, ya que también crecen muy bien en los intersticios y en las grietas. De esta forma resultan mucho más fáciles de cuidar y recolectar ya que no hay que agacharse tanto. Además, se consigue un efecto muy atractivo.

[?] **En nuestro jardín tenemos un pequeño estanque que desagua en un riachuelo. ¿Se pueden plantar algunas herbáceas en él?**

Las herbáceas no son precisamente las plantas acuáticas o palustres más típicas. Pero, sin embargo, existen algunas hierbas silvestres y medicinales que se desarrollan bien en un ambiente muy húmedo como el de la vegetación ribereña. Ahí se pueden cultivar algunas variedades de menta seguidas de un fondo de consuelda y valeriana. La transición del estanque hasta el sendero o el césped se consigue con el color verde y amarillo de las flores de la orquídea alquimila. En la zona

acuática también pueden plantarse cálamos aromáticos, cuyas hojas siempre darán una agradable nota de color. El agua limpia y poco profunda es ideal para plantar berros que luego consumiremos en ensalada o emplearemos para la elaboración de salsas.

[?] **Tenemos un bonito huerto de frutales con árboles y arbustos. ¿Podríamos incluir algunas herbáceas en él? Y de ser así, ¿cuáles?**

Pueden plantar diversas herbáceas alrededor de los árboles y en un radio de hasta un metro. Es un lugar ideal para capuchinas y caléndulas. Si los frutales son grandes y tienen muchas hojas será mejor que en vez de herbáceas con flores emplee rábano rusticano, ya que necesita menos luz. Entre los groselleros puede plantar artemisa que le ayudará a evitar la presencia del pulgón de la grosella. El ajo de oso crece muy bien en los cultivos de frutales con mucha sombra y tapiza el suelo durante la primavera. En verano, cuando llega la época de la recolección, ya habrá desaparecido por completo. Entre las hileras de arbustos con bayas crecen bien la consuelda y la perifollo oloroso. En las plantaciones de fresales resulta muy útil intercalar ajos, ya que son una buena defensa contra las enfermedades causadas por los hongos.

[?] **Mi terraza está llena de macetas con herbáceas y otras**

plantas. **¿Existe alguna posibilidad de que todavía pueda añadir más aromáticas?**

Hasta en el balcón más pequeño encontrará siempre un pequeño rincón aprovechable para aromáticas. Si las distribuye por tamaños en macetas dispuestas en cascada, conseguirá además un efecto muy decorativo (véase la página 20) y podrá tener muchas especies distintas. Se hace así:

- Necesitará cinco o seis macetas de barro sin vitrificar. La más pequeña de unos 8-9 cm de diámetro y cada una de las demás de 2-3 cm más que la anterior.
- Coloque en la maceta más grande algunos trozos de arcilla para facilitar el drenaje y luego llénela con tierra hasta la mitad.
- Coloque la siguiente maceta encima de ella de modo que en la parte anterior quede un margen libre para plantar. El borde superior deberá sobresalir unos 2-3 cm por encima de la maceta mayor.
- El espacio libre hay que llenarlo con tierra para que sujete firmemente a la segunda maceta, pero dejando sitio para plantar.
- Repita el proceso hasta que haya colocado correctamente todas las macetas.
- Ahora ya puede colocar sus plantas en todos los espacios que han quedado entre las macetas.
- Es mejor colocar las plantas colgantes en los pisos inferiores de la cascada.
- En la maceta superior, que a la vez es la más pequeña, coloque una planta de crecimiento erecto.

Jardinería

Así convertirá su sueño en realidad

La mayoría de los trabajos del jardín se realizan en primavera y en otoño. Son también los mejores momentos para plantar las herbáceas y crear o arreglar los arriates del jardín. Con los cuidados adecuados, las plantas de sus arriates y macetas no tardarán en empezar a tomar forma y le proporcionarán un entorno verde muy agradable.

A principios de primavera los días empiezan a ser más cálidos y vuelve a apetecer trabajar en el jardín. El suelo se va secando después del invierno y es el momento ideal para crear arriates nuevos o para plantar nuevas herbáceas en los viejos.

Póngase manos a la obra

En esta época del año encontrará una amplia oferta de herbáceas. Si ha descubierto su afición a la jardinería en otoño, no se preocupe, porque también es un buen momento para trabajar con la pala y la laya: a partir de finales de verano, cuando ya no haga tanto calor, también puede aprovechar para hacer cambios en su jardín. Mientras no se produzcan heladas podrá seguir construyendo arriates, muros de piedra seca y espirales para herbáceas. Pero si acaba sus construcciones muy tarde será mejor que no las plante hasta la primavera.

Prepárelo bien

¿Sólo desea hacer un arriate de herbáceas para complementar el jardín o el huerto? Entonces no necesitará más que las herramientas de jardinería habituales. Primero prepare bien el suelo para que las hierbas crezcan frondosas y no tarden en arraigar. Ahora bien, si pretende llevar a cabo algo más complejo, como por ejemplo una espiral de hierbas, un muro de piedra seca o incluso un sendero aromático, entonces deberá planificarlo con tiempo y conseguir todos los materiales que vaya a necesitar. Las piedras naturales, las losas, la gravilla y la arena puede conseguirlas en almacenes de material para la construcción, o incluso buscarlas usted mismo en la naturaleza. Si su proyecto es de mayores dimensiones será mejor que lo planifique con algunos meses de antelación y se asegure bien de todos los detalles.

> *En una espiral ya madura, las hierbas ocupan cada rincón y cada grieta y lucen con todo su esplendor.*

1 Semillero para cultivar plantas de semillas pequeñas.

2 Macetas de celulosa o de turba para semillas de mayor tamaño o para separar las que empiecen a germinar.

3 Tierra de siembra: sustrato especialmente nutritivo para que germinen las semillas.

4 Pulverizador para administrar agua de manera más uniforme.

5 Varillas de madera para separar fácilmente las plantas jóvenes.

6 Macetas de arcilla para trasplantar las plantas jóvenes.

Herramientas y materiales necesarios

1 Macetas, tiestos y jardineras: los recipientes de arcilla hay que dejarlos en remojo antes de plantar en ellos.

2 Capa de drenaje: las bolitas y cascajo de arcilla evitan que se acumule agua en el interior de la maceta.

3 Pala para plantar que facilita la extracción de las herbáceas y ayuda a plantarlas en macetas.

4 Sustrato: la tierra de buena calidad retiene agua, contiene nutrientes, es permeable y debería estar libre de turba.

5 Etiquetas de identificación: un accesorio muy útil tanto en arriates como en macetas.

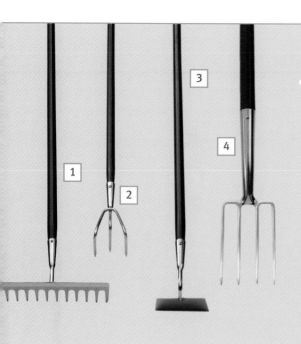

PREPARACIÓN DEL SUELO

1 Rastrillo para escardar, mullir y alisar el suelo durante la preparación de un arriate.

2 Aireador que permite airear y ablandar cuidadosamente el suelo en el que ya hay plantas, a la vez que permite eliminar malas hierbas.

3 Escardador para trabajar y mullir el suelo.

4 Cultivador para trabajar y mullir el suelo al preparar un arriate, así como para colocar o trasladar las plantas.

Tanto la pala como la laya y la tijera forman parte del equipo necesario en cualquier jardín. Si dispone de las herramientas y accesorios necesarios, usted mismo podrá crear y cuidar perfectamente todo su jardín de hierbas.

CORTAR

1 Tijera para cortar tallos (a la derecha) y tijera de uso general (en el centro) para recolectar y para cortar tallos tiernos.

2 Tijera de jardinería de uso polivalente para efectuar podas de mantenimiento o de rejuvenecimiento; las tijeras de *bypass* permiten efectuar un corte más limpio.

UNA BUENA PALA …

… resulta imprescindible tanto para cavar, como para cortar rizomas y plantar o trasplantar hierbas de gran tamaño. Lo ideal es que la hoja de la pala sea de acero inoxidable porque es más fácil de cuidar y no se estropea con el tiempo. La pala deberá ser rectangular y con la parte inferior bien afilada. Actualmente existen palas «para señoras» realizadas en titanio.

Preparación del suelo para las hierbas

¿Necesitan un sustrato determinado?, ¿qué suelo es el mejor para qué hierbas? Para que sus esfuerzos tengan el resultado esperado es necesario tener en cuenta las características del suelo. Póngalo a prueba.

El suelo es el elemento clave para el desarrollo de las plantas de jardín. La mayoría de los suelos de jardín son una mezcla de limos, arcilla y arena, pero en función de los elementos que predominen en él, será más o menos fácil de trabajar y necesitará el empleo de mucha o poca cantidad de agua y fertilizantes.

Evaluación del suelo

Para evaluar de forma genérica las características del suelo de su jardín basta que realice una prueba muy sencilla: tome un puñado de tierra ligeramente húmeda y apriétela con la mano. Si la tierra se deshace con facilidad es que se trata de un suelo muy arenoso. Si la tierra es de buena calidad podrá hacer una bola compacta que no se disgregará, pero tampoco se endurecerá. Si el suelo es muy rico en limos o arcilla podrá amasar la tierra con las manos hasta darle forma de «salchicha».

¿Qué suelo para qué hierbas?

Si es necesario, puede preparar el suelo para que se adapte a las necesidades de las plantas que desea cultivar.

- **Suelos arenosos:** Los suelos con un elevado porcentaje de arena resultan ideales para una gran variedad de herbáceas, como por ejemplo la artemisa, la ajedrea de monte, la santolina, la manzanilla, la salvia, la milenrama, el tomillo y el ajenjo. Son mullidos, permeables, fáciles de trabajar, se calientan con rapidez y no hay que cavarlos (foto 1). Sin embargo, son suelos que no retienen mucha agua y que pierden rápidamente los nutrientes. Por lo tanto, son suelos pobres, cálidos y secos. Para que también puedan vivir otras herbáceas habrá que añadir humus cada tres meses y calcio una vez al año (unos 50 g de granulado de calcio por m^2). Para evitar que se seque demasiado en verano hay que cubrirlo con una capa de acolchado a base de heno o paja triturada.
- **Suelos limosos:** Son un sustrato ideal para el jardín en el que crecen sin problemas muchas hierbas tales como la albahaca, el eneldo, el perifollo, el estragón, el levístico, la menta y la pimpinela blanca.

Sugerencia

LA PRUEBA DEL BARRO

Vierta un poco de tierra en un frasco de cristal con tapa lleno de agua. Ciérrelo y agítelo enérgicamente. Si la tierra contiene mucha arena, el agua se aclarará pronto y la arena se sedimentará en el fondo al cabo de pocos minutos. Si la tierra es muy arcillosa, en el agua flotarán finas partículas de arcilla. Cuanto más oscura sea el agua, mayor será el contenido de humus de ese suelo.

...elo arenoso
...la tierra no se puede modelar
...n las manos, sino que se
...shace de nuevo en forma de
...umos sueltos es señal de que
...suelo de su jardín es arenoso y
...ermeable.

Suelo con humus
Si el suelo es rico en humus y
está bien estructurado se puede
hacer fácilmente una bola con las
manos sin que se disgregue.

Suelos limosos y arcillosos
Los suelos con un elevado
porcentaje de arcilla y limos
permiten amasar la tierra con las
manos hasta obtener una forma
compacta y firme.

Los suelos limosos son ricos en nutrientes, ligeramente húmedos, bastante ligeros y retienen bien el agua (foto 2). Estos suelos se calientan con relativa facilidad, pero después de largos períodos de lluvia o un invierno muy húmedo tardan bastante en secarse para poder trabajarlos. Conviene cavarlos cada dos o tres años. Para que conserven su estructura grumosa es necesario mezclarlos periódicamente con compost y acolcharlos con paja o con restos vegetales del jardín (véanse las páginas 62/63).

■ **Suelos arcillosos:** Para que las herbáceas puedan crecer bien en un suelo arcilloso es necesario empezar por mejorarlo. Solamente la consuelda y el rábano

rusticano soportan las condiciones de esos suelos. Los suelos arcillosos son húmedos y tienden a encharcarse con facilidad, y, además, son pesados y ricos en nutrientes (foto 3). En primavera tardan mucho en secarse y hay que esperar bastante hasta poderlos trabajar. Se calientan muy lentamente por lo que puede resultar difícil que las raíces de las plantas penetren. Conviene mezclarlos con gravilla fina o arena para hacerlos más ligeros y permeables. Enriquézcalos a principios de verano con piedra en polvo y compost bien maduro. También es necesario mullirlos en otoño para evitar que se compacten demasiado con el frío del invierno. Así se

consigue un sustrato grumoso y adecuado para las herbáceas.

pH

El pH nos indica el grado de acidez del suelo en una escala que va del 0 (muy ácido) al 14 (muy alcalino). La mayoría de las herbáceas prefieren los suelos ligeramente calcáreos y con un pH de 7. Si el pH es demasiado ácido para las plantas, se puede corregir mediante la adición de carbonato cálcico. Con 30 g por cada 100 m^2 se puede aumentar un punto el valor pH, es decir, pasar por ejemplo de 5 a 6. En el caso inverso, se puede bajar un pH demasiado alcalino mediante fertilizantes ricos en amoníaco. El valor pH se mide mediante unas varillas indicadoras o con un pH-metro.

31

> PRÁCTICA

Un arriate de hierbas en el jardín

Paso a paso se va acercando ya a su pequeño jardín de herbáceas. Para empezar con buen pie es necesario preparar el arriate a conciencia, de manera que nos garantice el desarrollo de las plantas.

Un arriate de hierbas siempre enriquece el jardín con el agradable aroma de sus plantas, pero antes de plantar hay que acondicionar correctamente el arriate que vamos a destinar a las hierbas.

páginas 30/31). También puede reconvertirse para herbáceas una parte del área dedicada a césped. Para ello habrá que eliminar toda la cobertura vegetal y mullir o arar bien el suelo. Recuerde que en muchos lugares se puede alquilar maquinaria a bajo coste para realizar estos trabajos. También debe asegurarse de que elimina todas las raíces de las malas hierbas o, mejor aún, de que retira gran parte de la tierra y la sustituye por otra nueva.

Creación de un arriate

El tamaño del arriate dependerá del espacio disponible en el jardín. Lo mejor es trazarlo primero sobre un plano. En este deberá dibujar su jardín, por ejemplo a escala 1:100 (un centímetro del plano equivaldrá a un metro sobre el terreno), con los caminos y arriates ya existentes, árboles, etc. Una vez listo, determine dónde va a

Un lugar para herbáceas

En un huerto o jardín ornamental ya establecido es fácil encontrar algún arriate susceptible de ser reconvertido para plantar herbáceas, pero en los jardines de nueva planta se puede planificar su ubicación desde el principio. En los jardines nuevos es muy recomendable mullir intensamente el terreno, ya que el suelo acostumbra a quedar muy compacto después de realizadas las obras (véase la página 44). Cave el suelo a buena profundidad y si es pesado mézclelo directamente con gravilla para conseguir hacerlo más suelto (véanse las

1

Delimitar la superficie con un cordel
Emplee estacas y un cordel para marcar los límites de los senderos y arriates. Asegúrese una vez más de que todo coincide con sus esquemas previos.

2

Cavar los bordes
Clave la pala a lo largo del cordel para marcar los límites del arriate. Vaya depositando la tierra en el centro para trabajarla más tarde.

colocar su arriate para herbáceas. En los arriates muy grandes, en los que no se llega a alcanzar el centro desde los bordes, será necesario incluir caminos por los que se pueda pasar para efectuar los diversos trabajos de jardinería (fotos 4 y 5). Podrá hacer, según sus preferencias, un arriate redondo o rectangular. Para marcar bien el perímetro del arriate, lo más cómodo es emplear un cordel y tensarlo entre pequeñas estacas de madera o de varilla de hierro (fotos 1 y 2). Para delimitar los arriates redondos hay que clavar una estaca en el centro, tensar un cordel con la longitud del radio, fijar una pequeña estaca en su otro extremo y emplearla a modo de compás para marcar la circunferencia

perimetral sobre el suelo. Una vez hecho esto, coloque algunas estacas más para que le sea más fácil orientarse al trabajar con la pala.

Se empieza por cavar el suelo con la pala (foto 3) y luego se deshace bien la tierra con una laya hasta obtener una estructura grumosa. Según las características propias de ese suelo, se le pueden añadir otros materiales para mejorarlo con la ayuda de la pala (véanse las páginas 30/31). A continuación, añada el fertilizante orgánico y espárzalo con el rastrillo (foto 5) a la vez que alisa el terreno. El fertilizante orgánico proporciona a las plantas los nutrientes que necesitan para crecer y desarrollarse.

PREPARACIÓN DE UN ARRIATE

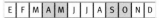

E	F	M	A	M	J	J	A	S	O	N	D

Tiempo necesario:
- De medio día a un día completo.

Materiales:
- Tablones para delimitar el camino.
- Para mejorar el suelo: fertilizante orgánico, compost, arena, gravilla, etc.

Herramientas y accesorios:
- Cordel, estacas de madera o metálicas y martillo o mazo.
- Pala, laya, plantador y rastrillo.
- Carretilla.

Mullir el suelo
Elimine la capa vegetal que recubre el suelo. Deshaga los grumos con una laya hasta que el suelo quede suelto y mullido.

Mejorar el suelo
Una vez mullido el suelo, emplee el plantador o la laya para mejorarlo añadiéndole arena, limo o compost.

Alisar el terreno
Para acabar, añada el fertilizante orgánico y trabájelo ligeramente con el rastrillo para que penetre unos centímetros en el suelo a la vez que lo va alisando.

Buenas relaciones con hortalizas, matas, etc.

Muchas herbáceas se pueden integrar perfectamente en arriates de hortalizas o matas ornamentales. Las plantas con similares exigencias de luz y de suelo vivirán bien juntas.

El amarillo luminoso de las caléndulas crea un bonito contraste con el verde azulado de los puerros.

Las herbáceas proporcionan efectos muy agradables y combinan bien con otras plantas de jardín, además, se complementan visualmente y, a veces, incluso se favorecen mutuamente.

Herbáceas para el huerto

Las herbáceas ayudan a introducir un poco de variedad entre los tomates, las zanahorias y las lechugas del huerto. En los lugares soleados se pueden colocar las que son de origen mediterráneo y prefieren el calor, mientras que en las zonas con algo más de sombra vivirán mejor la melisa, la menta, el levístico, la pimpinela blanca, la acedera, el cilantro y la verdolaga. Las hierbas anuales hay que plantarlas o sembrarlas directamente entre las hortalizas, ya que solamente viven durante una temporada y luego hay que cosecharlas. Las hierbas perennes estarán mejor en los bordes del huerto, ya que de lo contrario sus raíces sufrirían inútilmente cada vez que se cosechasen las hortalizas y se volviesen a plantar. También hay que tener la precaución de reservar suficiente espacio para plantas tales como la lavanda, la salvia o el estragón que, con el paso de los años, pueden llegar a alcanzar un porte notable (véanse las descripciones de especies).

Combinación saludable

Los cultivos mixtos de herbáceas y hortalizas resultan beneficiosos para ambos tipos de plantas. Es un hecho que se basa en el desarrollo vegetal que podemos observar en la naturaleza. En el medio natural ninguna planta crece completamente sola, sino junto a las de otras especies. En estas asociaciones vegetales se benefician mutuamente las diferentes especies, tanto en lo que respecta a su desarrollo como a su salud.

Algunas plantas incluso actúan como repelentes de los parásitos de las otras. En los cultivos mixtos de herbáceas y hortalizas puede colocar diferentes especies juntas en un mismo arriate, o alternarlas en una fila. Las herbáceas que desprenden un aroma especialmente intenso, como por ejemplo la lavanda, el ajo o la ajedrea, ahuyentan a los enemigos naturales de sus vecinas e incluso impiden que se vean afectadas por parásitos. Por ejemplo, la albahaca ahuyenta a la mosca blanca del tomate y la ajedrea al pulgón negro de las judías. Entre las combinaciones de plantas que estimulan mutuamente su desarrollo tenemos el perifollo y la lechuga, el eneldo y la col, y la salvia y las judías. Estos cultivos mixtos no sólo se ayudan mutuamente a eliminar sus parásitos sino que también colaboran entre sí para un mejor aprovechamiento del espacio disponible en el arriate. La estilizada planta del eneldo, por ejemplo, ocupa muy poco espacio y crece bien entre las voluminosas coles. También se complementan muy bien las hortalizas de crecimiento lento y las herbáceas anuales de desarrollo rápido. Las plantas herbáceas utilizan poco tiempo el espacio disponible, ya que crecen rápidamente y se recolectan antes de que las hortalizas necesiten más espacio para seguir creciendo. De este modo, se pueden sembrar hileras de berros entre las plantas de apio o puerros, o hierbas aromáticas entre las zanahorias y las lechugas.

Hierbas y flores multicolores

Un arriate con flores de verano también puede ser un emplazamiento ideal para las herbáceas. En efecto, la mayoría de las flores de verano necesitan un lugar situado a pleno sol, por lo que muchas herbáceas también estarán a sus anchas. Procure que las flores anuales estén acompañadas por herbáceas que también duren una sola temporada, así tendrá menos trabajo al rehacer el arriate en otoño. Lo ideal es sembrar o plantar las herbáceas y las flores al mismo tiempo. Si los arriates no son muy alargados, lo mejor es colocar las

Ninguna otra planta combina tan bien con los rosales como la lavanda. Su aroma y sus flores son inconfundibles.

herbáceas en el margen para que sean más accesibles y resulten más fáciles de recolectar.

Hierbas en arriates para matas

Las hierbas y las matas pueden convivir muy bien si se tiene la precaución de combinar especies que necesiten una ubicación similar (véanse las páginas 14/15). Si las hierbas han de convivir

permanentemente con las matas cuide de no estropearlas al pasar entre estas para cuidarlas. Lo mejor, para ello, es que las sitúe en los bordes del arriate, así también podrá recolectarlas más fácilmente. Tenga en cuenta las necesidades de espacio, tanto de las matas como de las hierbas, y plántelas con una separación que luego les permita desarrollarse correctamente.

ALTERNACIÓN DE CULTIVOS

No coloque plantas de una misma familia (véanse las descripciones de especies), como por ejemplo liliáceas, apiáceas o lamiáceas, en el mismo lugar en años sucesivos. Es mejor alternar cultivos ya que así se consumen más equitativamente los nutrientes del suelo y este no se agota por el monocultivo. Además, esto también ayuda a mantener a raya a los parásitos y gérmenes patógenos.

Un jardín formal

Para darle un carácter más personal a su jardín puede situar los arriates de herbáceas de una forma geométrica y formal. Si lo planifica bien le será fácil realizar estas formas tanto en grande como en pequeño.

¿Le gustaría plantar sus plantas del modo en que se hacía en los jardines de los monasterios (véanse la páginas 16/17)? Entonces es fundamental que elija la forma y la plantación más adecuadas para cada caso. Lo primero que deberá hacer es levantar un plano a escala de su terreno y ver dónde coloca sus plantas herbáceas. Luego determine cómo deberá ser el futuro jardín de herbáceas. Para hacerse una idea del tamaño, trace sobre el plano todos los arriates previstos, los senderos, y las plantas con el tamaño que habrán alcanzado al cabo de dos o tres años.

Forma básica del jardín para hierbas

La disposición más sencilla consiste en hacer un cruce de caminos con cuatro arriates. Para ello necesitará una extensión cuadrada o rectangular, llana y bien expuesta al sol. Para que la superficie pueda ser dividida en cuatro partes y haya suficiente

espacio para las plantas, es necesario que tenga una superficie mínima de 15 m². Los caminos son necesarios para poder llegar cómodamente hasta las plantas a fin de cuidarlas y recolectarlas. La distribución se complica un poco más si en el centro del jardín de herbáceas se desea crear un arriate redondo o cuadrado: un buen lugar para colocar una estatua, una fuente o alguna planta solitaria y especialmente atractiva, como, por ejemplo, un rosal en arbolito.

Del plano al arriate acabado

Una vez decididos el emplazamiento y la forma de su jardín para herbáceas, proceda del mismo modo que para la realización de un arriate normal.
■ Marque las esquinas con estacas de madera o de hierro (véanse las páginas 32/33). Señale también otros puntos importantes, como por ejemplo los cruces de caminos.
■ Entre las estacas, tense un cordel que luego le servirá de orientación para cavar. Marque

el perímetro de las superficies redondas con arena o con yeso en polvo.
■ Empiece por el trazado de los caminos (véanse las páginas 42/43).

Distribución de las plantas

Empiece por plantar las plantas de contención (véanse las páginas 52/53) que se encargarán de destacar las formas geométricas a lo largo de los márgenes de los caminos y de los arriates. Lavanda, salvia, hisopo, santolina, siempreviva y ajedrea de monte son algunas de las más adecuadas. Coloque de quince a veinte plantas por metro lineal, mida bien todos los perímetros y haga los cálculos para saber cuántas tendrá que comprar. Los caminos y las plantas de los márgenes constituyen el marco del jardín de herbáceas. Ahora se trata de rellenar el interior con hierbas aromáticas. Si ha planificado una pequeña rotonda en el centro del arriate, reálcela con una planta bien atractiva como, por ejemplo, un rosal en forma de arbolito. Empiece a plantar desde dentro hacia fuera es decir, progresando lentamente desde esa planta central hacia el perímetro. Después llene cada superficie con las plantas previstas. Para ello puede realizar franjas y dibujos ornamentales seleccionando especies con hojas de diferentes colores, como por ejemplo salvia púrpura, ruda y tomillo dorado. Para que las franjas de plantas queden claramente delimitadas entre sí es preferible recurrir a las estacas y el cordel antes de colocarlas en su sitio. Dado que las plantas no van a formar un seto, sino que necesitarán disponer de suficiente espacio para crecer, habrá que establecer la separación entre ellas en función de su tamaño. Esta separación será por lo menos de uno o dos palmos. Así los brotes recibirán suficiente luz por todos lados y se desarrollarán uniformemente.

Arriates simétricos

En los jardines pequeños se pueden realizar arriates cuadrados o redondos (ilustraciones 1, 2, 3 y 4) que a su vez se dividan en otros más pequeños.

■ Cave la forma básica (véanse las páginas 32/33). Si los lados van a medir más de 2,5 m de longitud deberá incluir algún camino que le permita acceder fácilmente a las plantas de su interior. Puede realizarlo sencillamente a base de tablas o de losas de piedra.

■ Si desea integrar otras formas geométricas en el interior del arriate, como por ejemplo cruces o una rotonda, cávelas también.

■ Una vez cavados los bordes con la pala y preparado el interior para la plantación (véase las páginas 32/33) podrá empezar a colocar sus herbáceas favoritas. Empiece por las plantas de contención y trabaje luego cada arriate desde el centro hacia el exterior.

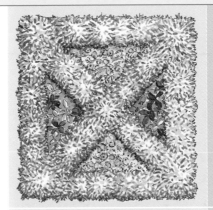

1

Cuadrado con cruz
Para los bordes y las franjas diagonales puede emplear lavanda. En los arriates triangulares contrastan muy bien el color naranja y verde del tagetes con la albahaca de hojas verdes y rojas.

2

Arriate con rotonda central
En el centro del arriate plante herbáceas con flores de colores vistosos, como por ejemplo caléndulas. En los arriates exteriores puede colocar salvia, melisa o santolina.

3

Un rombo en un cuadrado
Coloque la rudbequia roja en el centro (rodeada de acelgas) y distribuya el rombo en cuatro zonas en las que puede poner eneldo, hinojo, perifollo y siempreviva. En el exterior puede plantar menta y mejorana.

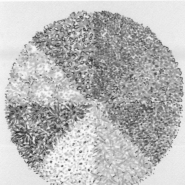

Pastel de hierbas
Divida el círculo en varios segmentos y plante una herbácea diferente en cada uno de ellos, como por ejemplo ajedrea, orégano, melisa, eneldo y tomillo.

4

﹥ PRÁCTICA

Construcción de una espiral para hierbas

En una espiral para herbáceas se pueden plantar muchas especies en un espacio relativamente reducido consiguiendo a la vez crear un elemento muy atractivo para el jardín.

MUCHAS HIERBAS EN POCO ESPACIO

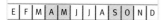

| E | F | M | A | M | J | J | A | S | O | N | D |

Tiempo necesario:
- 1 o 2 días.

Materiales:
- Grava gruesa para la base.
- Piedras naturales y adoquines o ladrillos.
- Gravilla, cascajo, cantos rodados, arena, tierra de jardín o compost.
- Opcionalmente una cubeta de plástico para enterrarla.

Herramientas y accesorios:
- Arena o yeso para marcar.
- Cordel y estacas de madera o hierro.
- Pala, laya, rastrillo y carretilla.

En una espiral pueden crecer estupendamente muchas herbáceas. Además, al recibir luz desde todas las orientaciones ofrece posibilidades para plantas con diferentes necesidades. Eso permite preparar el sustrato para unas plantas determinadas y en la siguiente vuelta cambiarlo para que se adapte a otras especies.

Hierbas en cada vuelta

Busque una zona de su jardín que esté a pleno sol y elija una superficie de por lo menos 1,5 × 1,5 m. Limpie bien la zona eliminando cualquier planta que pudiese haber. Emplee una estaca para marcar el centro de la espiral. Átele un cordel y empléelo para trazar una circunferencia de 1,5-2 m de diámetro y márquela con arena o yeso. Oriente el desnivel hacia el sur desde el

punto más alto hasta el más bajo. Para que el muro de piedras no se hunda con el paso del tiempo, es conveniente compactar la base. Para ello, hay que cavar la superficie marcada hasta unos 30 cm de profundidad, llenar el hoyo resultante con una capa de gravilla gruesa o cascajo de unos 20-25 cm, apisonarla y aplanarla. En el interior del círculo hay que «dibujar» una espiral con arena o yeso. La forma resultante será parecida a la de la concha de un caracol y bastará con que dé una o dos vueltas.

La espiral va tomando forma

Construya el muro en espiral trazándolo desde dentro hacia fuera y colocando los ladrillos o piedras de modo que su altura aumente desde el exterior hacia el interior. La altura exterior será de unos 20 cm y la del punto más interior puede alcanzar los 70-100 cm. Dado que no va a emplear cemento, coloque los ladrillos con cuidado y procurando que las superficies sean regulares para evitar que se caigan con facilidad. Los ladrillos a prueba de heladas son más fáciles de apilar porque tienen la superficie lisa (foto 1). Los muros construidos con ladrillos y cemento son más resistentes, pero tienen un aspecto demasiado «arquitectónico» y formal. Déle al muro una ligera inclinación hacia dentro, así la espiral será más estable y resistirá mejor la presión de la tierra y las plantas.

Una vez acabada la estructura, llene el interior de la espiral con diversos materiales. Después coloque, en unas tres cuartas partes de la superficie, es decir, en casi toda excepto el extremo inferior, una capa de drenaje (foto 2) que llegue como mucho hasta la mitad de la altura del muro. Finalmente, rellene la curva interior de la espiral con una mezcla de tierra (pobre en nutrientes), arena y gravilla. En la siguiente curva de la espiral cubra la capa de gravilla con tierra de jardín enriquecida con humus, y hacia el final de la espiral (foto 3) añada tierra cada vez más rica en nutrientes (añada compost). Si lo desea, al final de la espiral puede enterrar una cubeta de plástico para crear una pequeña zona acuática en la que puedan vivir herbáceas palustres tales como berros o cálamos aromáticos.

Colocación de las hierbas

En la tierra húmeda y rica en nutrientes de la zona inferior puede plantar aspérula olorosa y acedera. A medida que vaya ascendiendo, el suelo será cada vez más seco y podrá plantar menta y melisa. A estas les seguirán cebollino, perejil, eneldo y pimpinela, hasta llegar a las plantas que necesitan un medio seco y cálido, como el romero, la salvia, el orégano y la lavanda, que estarán en la zona superior.

1
Levantar un muro en espiral
Constrúyalo con adoquines o ladrillos creando una espiral de altura decreciente hacia el exterior y apilándolos de forma que queden ligeramente inclinados hacia dentro.

2
Colocar la capa de drenaje
Esparza a lo largo de toda la espiral una capa de drenaje a base de grava gruesa, cascajo o cantos rodados. Reserve la parte inferior para plantas que necesiten humedad.

3
Añadir la tierra
Llene las curvas de la espiral desde el interior hacia el exterior, primero con tierra mezclada con arena o gravilla y seguidamente con tierra rica en nutrientes (humus). Adáptela a las necesidades de las plantas.

Colocar las plantas
Coloque en la parte superior las plantas que necesitan calor y un suelo seco. Descienda progresivamente con las que necesitan más humedad y nutrientes.
4

> PRÁCTICA

Un muro soleado para hierbas

A las hierbas que necesitan calor podemos ofrecerles un lugar cálido y rocoso. Crecerán estupendamente entre un muro de piedra seca o sobre él.

Entre las piedras de un muro expuesto al sol se dan unas condiciones que resultan ideales para muchas herbáceas. El agua drena con rapidez y el calor acumulado en la piedra les sienta muy bien a las plantas. En las zonas situadas a pleno sol, las hojas desprenden un aroma especialmente intenso (véanse las páginas 18/19).

Construcción de un muro de piedra seca

Lo mejor es situar el muro a lo largo de una pendiente orientada hacia el sur o en sentido este-oeste, ya que así todas las plantas podrán aprovechar la exposición al sol. Si el muro se levanta sobre un desnivel, habrá que reafirmarlo con tablas para evitar posibles deslizamientos. Limpie de plantas la superficie sobre la que va a construir el muro y cave el suelo con una pala hasta 20-30 cm de profundidad y rellene la zanja resultante con cascajo o grava gruesa. Cuanto mejor la compacte, más sólida será la base de su muro. Recuerde que por poco dinero podrá alquilar la maquinaria apropiada para hacerlo (foto 1) y conseguir los mejores resultados. Para comprobar que el suelo queda perfectamente horizontal será necesario emplear un listón plano y un nivel de burbuja. Si es necesario, añada o quite gravilla donde falte o donde convenga. Sobre el suelo debidamente compactado y aplanado debe colocar piedras naturales de formas irregulares apilándolas de forma que encajen lo mejor posible, pero sin unirlas entre sí con cemento (foto 2). Asegúrese de que queden bien firmes y de que no se muevan ni tienden a oscilar. Para eso es importante que las piedras de la parte inferior sean grandes y su base lo más plana posible para asegurar su estabilidad. Si emplea un martillo y un cincel para eliminar puntas y salientes, las siguientes piedras podrán apoyarse sobre una base más estable. Los muros de piedra seca bien construidos pueden tener una altura de hasta 150 cm.

Herbáceas con vistas

Rellene las grietas e intersticios con un poco de tierra y coloque en ellos algunas plantas jóvenes y resistentes (foto 4). Otra posibilidad consiste en sembrar semillas en primavera para que las hierbas se desarrollen desde el principio en estos espacios (véanse las páginas 48/49). Si construye

Compactar la base 1
Para que su muro se asiente bien, coloque un lecho de grava de unos 25 cm de espesor. Compáctela con una apisonadora manual.

su muro principalmente con piedras planas entre las que no quedan muchos espacios libres, coloque las plantas durante la construcción del muro y añada al mismo tiempo un poco de tierra para que sus raíces se puedan afianzar correctamente a la vez que encuentran algunos nutrientes. Riéguelas abundantemente. Continúe la construcción del muro y vaya añadiendo plantas del mismo modo hasta que acabe. Luego deberá seguir regándolas periódicamente, especialmente en los días secos y calurosos. En cuanto las plantas hayan arraigado y

empiecen a producir nuevos brotes ya podrá dejarlas crecer a su aire.

Terrazas de hierbas

Las terrazas para herbáceas (véase la página 19) se construyen del mismo modo que el muro de piedra seca. Se apoyan contra una pendiente y luego se aplana la parte superior. En las pendientes muy grandes puede ser necesario colocar varios muros de contención, pero para una terraza normal suele bastar un pequeño muro de 30-40 cm de altura.

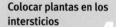

UN MURO DE PIEDRA SECA PARA HIERBAS

| E | F | M | A | M | J | J | A | S | O | N | D |

Tiempo necesario:
- 1 o 2 días.

Materiales:
- Grava gruesa para la base.
- Rocas naturales sin tratar.

Herramientas y accesorios:
- Pala, carretilla y guantes.
- Apisonadora mecánica.
- Nivel de burbuja y listón para nivelar.
- Martillo y mazo para fijar y encajar las piedras.

Levantar el muro
Apile rocas naturales procurando que encajen entre sí lo mejor posible. Coloque las más grandes en la base y las más pequeñas en la parte superior. Rellene los intersticios con trozos de piedra.

Afirmar las rocas
Emplee un martillo para que las rocas acaben de encajar entre sí y emplee, si es necesario, piedras pequeñas como cuñas para evitar que las grandes se muevan.

Colocar plantas en los intersticios
Una vez acabado el muro, introduzca los cepellones de las plantas en las grietas e intersticios que quedan entre las rocas. Añada tierra para que arraiguen mejor.

> PRÁCTICA

Aromas a cada paso

Las plantas que crecen a ras de suelo, en bancales, entre adoquines o entre las losas de los senderos, nos deleitan con su aroma a cada paso. Muchas de ellas soportan ser pisadas con frecuencia.

Caminos aromáticos

Coloque hierbas aromáticas en los caminos de su jardín, así cuando pase por ellos irá acompañado de una verdadera sinfonía de olores (foto 1) o deje que las hierbas formen parte del propio sendero. Cuando construya un camino nuevo, aproveche la ocasión para introducir plantas tapizantes en los intersticios que queden entre los adoquines, ladrillos o losas del pavimento. Cuanto más separación deje entre estos elementos, mayor será el

Cimentación

Cave la superficie del sendero hasta unos 30 cm de profundidad y refuerce los bordes con tableros. Su canto superior delimitará la altura del camino. Coloque una capa de cascajo o grava.

Colocación del pavimento

Una vez compactada la base, coloque una capa de arena de unos 2 cm. Después alísela con un listón de madera y ponga los elementos del pavimento y afírmelos con un mazo de goma. Emplee un nivel apropiado para comprobar su horizontalidad.

Colocación de las plantas

Rellene las juntas con arena gruesa y algo de tierra. Deje algunos espacios libres y coloqu allí pequeñas plantas tapizantes

espacio para disfrutar de las plantas aromáticas que crecerán a sus pies (foto 2).

Herbáceas a prueba de pisadas

Las herbáceas planas y tapizantes, como algunas variedades de tomillo, manzanilla y menta, pueden crecer perfectamente entre las losas o adoquines del pavimento. Lo mejor es plantarlas en el momento de construir el sendero (foto 3) o sembrarlas en primavera directamente en las juntas. En cualquier caso, durante las primeras semanas hay que regarlas uniformemente. Procure no pasar por el camino hasta que las plantas ya hayan arraigado o brotado correctamente.

Césped aromático

Las superficies de césped aromático toleran bien algún que otro pisotón e invitan a reposar un rato sobre ellas. Para crear pequeños espacios con plantas aromáticas es recomendable elegir un lugar resguardado al que le dé bien el sol y plantar variedades pequeñas y tapizantes de tomillo, manzanilla y menta. Necesitará un espacio despejado con un suelo grumoso y ligeramente compactado que tenga por lo menos 3 × 3 m. Coloque una buena densidad de plantas como, por ejemplo, tomillo. Si crecen demasiado tendrá que escardarlas con la tijera de jardinero para mantenerlas bajas y densas. Al

cabo de un tiempo podrá emplear también el cortacésped.

Es agradable sentarse sobre herbáceas

A lo mejor tiene la suerte de encontrar un banco de piedra —viejo o nuevo— cuyo asiento esté suficientemente rebajado como para poder colocar en él una capa de tierra y algunas plantas (véase la fotografía de la página 18). Las pequeñas plantas tapizantes pueden crecer sobre una capa de tierra de 3 cm de espesor. De todas formas, es bastante fácil construir con listones de madera un banco con superficie integrada para plantas. Como estará expuesto a las inclemencias del tiempo no durará muchas décadas, pero si está situado en un lugar soleado prestará buenos servicios durante algunos años. Para un asiento de 40 × 120 cm se necesitan unas doce plantas. Van muy bien las herbáceas a prueba de pisadas.

Herbáceas en el prado

Para crear un pequeño prado con herbáceas (véase la página 19) es necesario empezar por arar una superficie de césped o un arriate ya existente. Quizá lo mejor es alquilar un pequeño arado mecánico en cualquier centro de jardinería, porque cavarlo a mano con una pala suele exigir un esfuerzo al que no todo el mundo está acostumbrado. Elimine los restos vegetales y las piedras de

mayor tamaño. Una vez trabajado el terreno, este deberá tener una consistencia grumosa. Después alise la superficie con un rastrillo y compáctela ligeramente con la laya. En primavera, siembre una mezcla de plantas adecuadas a la orientación del terreno (soleado o en semisombra) y riegue con frecuencia hasta que empiecen a germinar. No tardarán en aparecer brotes de milenrama, consuelda, samarilla y muchas otras herbáceas. Recuerde que tendrá que segarlo dos o tres veces al año.

CONSTRUCCIÓN DE UN SENDERO AROMÁTICO

| E | F | M | A | M | J | J | A | S | O | N | D |

Tiempo necesario:
- De medio día a dos días.

Materiales:
- Grava gruesa y arena para la cimentación.
- Adoquines, ladrillos o losas de piedra para el pavimento y, opcionalmente, arena de cuarzo.
- Tablones para marcar los límites.

Herramientas y accesorios:
- Laya, pala, rastrillo y una carretilla.
- Cordel y estacas para marcar el trazado, nivel de burbuja y listones de madera.
- Mazo de goma.

43

>PREGUNTAS Y RESPUESTAS

Sugerencias de los expertos para la distribución y realización del jardín de hierbas

Existen muchas formas de integrar las herbáceas en un jardín. Encontrará plantas para poblar incluso aquellos rincones del jardín que puedan parecerle más problemáticos

[?] **El suelo de nuestro nuevo terreno es sumamente pesado y arcilloso. Cuando llueve se llena de charcos. ¿Podemos plantar algunas herbáceas en él?**

Su suelo probablemente esté muy compactado y debe ser muy poco permeable. Antes de plantar le recomiendo que lo someta a un programa de regeneración. En primavera, en cuanto ya se haya secado lo suficiente, deberá ararlo a fondo y aplanarlo. A continuación deberá sembrar altramuces en abundancia para fertilizarlo a fondo. Las raíces de estas penetran mucho en el sustrato y lo ablandan a la vez que lo enriquecen con nitrógeno gracias a las bacterias nitrificantes que las acompañan. Las plantas empezarán a florecer al cabo de unas ocho semanas; entonces deberá cortarlas, trocearlas con la pala y mezclarlas con la tierra. Para que el suelo se haga más permeable al aire y al agua es aconsejable añadir una

carretilla de humus y arena por cada 4 m², mezclarlo bien con la tierra y alisarlo con el rastrillo. ¡Ahora ya podrá empezar a plantar!

[?] **Me gustaría construir un banco aromático de madera. ¿Qué material me irá mejor y qué es lo que debo tener en cuenta?**

Según la calidad de la madera y las inclemencias del tiempo, un banco de madera de haya o de cedro dura entre cuatro y diez años; los de madera de pino son más baratos, pero apenas duran dos o tres años. La madera adecuada puede adquirirla en una carpintería o en un almacén de material para bricolaje o para la construcción. Si una vez construido el banco puede llevarlo a una empresa para que le hagan una impregnación especial, a alta presión, para exteriores, entonces su vida útil puede llegar a ser de una a tres décadas. El

banco puede constar solamente de asiento y patas, o tener también respaldo y brazos. Para facilitar la plantación de las herbáceas, lo mejor es que coloque ya un marco de listones de madera sobre el asiento y que le haga algunos agujeros para facilitar el drenaje del agua. Rellene este plantel con tierra arenosa y ya tendrá un lugar ideal para sus plantas aromáticas.

[?] **Desearíamos crear un nuevo jardín para plantas aromáticas, que sea lo más variado posible. Para una familia de cuatro miembros, ¿qué plantas necesitaríamos inicialmente y en qué cantidad?**

Para empezar le recomendaría un surtido de las principales plantas aromáticas y de uso culinario que pueda cultivar en una superficie de 7-10 m². Siembre por ejemplo perejil, albahaca y roqueta en un arriate de 2 m de largo por 1,2 m de ancho, colocando dos o tres hileras de cada planta; también puede añadir una hilera de eneldo. En otro arriate puede plantar levístico, salvia, orégano y ajedrea de monte: una hilera de cada especie. Añada tres ejemplares de melisa, tomillo y cebollino, y uno de menta y menta piperita. Rodee los arriates con un borde de plantas pequeñas de lavanda e hisopo, y pódelas periódicamente para conseguir un pequeño seto de unos 15 cm de altura. También puede colocar un sólo ejemplar de estas plantas de flores azules en cada una de las esquinas de los arriates. Si quedan espacios libres puede rellenarlos con atractivas flores anuales tales como caléndulas o borrajas.

? En los jardines grandes para herbáceas, ¿cómo se pueden crear caminos adoquinados permanentes?

Si el camino tiene más de 60 cm de amplitud, además de la habitual base de grava (véanse las páginas 42/43) puede reforzar los márgenes de forma permanente para evitar que se desplacen hacia fuera. Una vez compactada la base de grava, coloque una línea de cemento a lo largo de los márgenes. Esta franja de cemento no deberá ser muy alta pues no ha de verse cuando el camino esté acabado, sino que servirá de cimiento de las piedras de los bordes para impedir que se desplacen. Cuando el cemento ya haya fraguado y esté seco, cubra la gravilla con una capa de arena fina de 2 cm de espesor y coloque encima los adoquines de forma que obtenga una superficie

uniforme entre las franjas de cemento de los bordes. En lugar de cemento también se pueden colocar listones de madera bajo los márgenes del camino, pero según la humedad y las condiciones climáticas su duración puede ser muy limitada.

? En una revista de jardinería he visto fotos de unos arriates de formas onduladas. ¿Cómo puedo crear estas formas tan bonitas en mi jardín?

Para efectuar el trazado de arriates ondulados o curvos puede emplear una cuerda gruesa o una manguera de jardín. Colóquela siguiendo el trazado que más le guste y luego márquelo espolvoreando arena blanca, yeso o serrín. Después, cave con la laya siguiendo esa línea. Para arriates más pequeños y de formas muy definidas (por ejemplo, en forma de corazón) también puede emplear una plantilla recortada en una hoja de plástico.

? ¿Qué tipo de piedras he de emplear para construir un muro de piedra seca y dónde puedo conseguirlas?

Para construir un muro de piedra seca se pueden emplear diversos tipos de rocas, sea con su forma natural, sea ligeramente trabajadas. Podrá adquirirlas en canteras o en almacenes de materiales para la construcción. Van muy bien el granito y la caliza; la arenisca, en cambio, se erosiona con rapidez, por lo que no es muy adecuada. En algunos lugares es posible comprar piedras de granito ya talladas y

listas para su uso. Cuando compre las piedras asegúrese de llevarse bastantes que sean de buen tamaño y con ángulos rectos, especialmente para que le proporcionen una base estable a su construcción (véanse las páginas 40/41).

? Me gustaría crear un arriate mixto de rosales y herbáceas. Además de la lavanda, ¿qué otras puedo utilizar?

Al igual que la mayoría de las plantas aromáticas, los rosales necesitan también un emplazamiento soleado y algo resguardado. Por lo tanto, las hierbas de talla media que necesitan mucho sol, como la lavanda, la salvia, el hisopo o la santolina, también vivirán bien junto a rosales arbustivos, trepadores o de arriate, así como alrededor de rosales en arbolito. El color plateado de las hojas de estas plantas crea un contraste muy agradable con el verde oscuro de las hojas de los rosales y el color rojo o amarillo de sus flores. Junto a los rosales pequeños también se puede plantar alquimila, ya que a esta planta le sienta muy bien la sombra que le proporciona el rosal. Los hermosos y aromáticos tallos florales de la manto de dama resaltan la belleza de las rosas y también combinan muy bien para hacer ramos con ellas. Coloque las plantas a una distancia de los rosales que no le impida cuidarlos y podarlos. También puede colocar losas de piedra entre las plantas para poder pasar más fácilmente entre ellas.

Cómo sembrar y cultivar las plantas uno mismo

Si siembra sus propias hierbas se ahorrará el dinero de comprar plantas ya desarrolladas en viveros y centros de jardinería, además esto también le permitirá conservar sus especies favoritas y obtener más provecho de ellas.

Tanto si es a partir de semillas como de esquejes, las plantas se multiplican con facilidad y nos permiten disponer siempre de ellas en el jardín o en las macetas.

La multiplicación de las plantas

Es preferible obtener muchas de estas plantas, especialmente las anuales, a partir de semillas. Así resultan mucho más económicas que comprando plantas ya desarrolladas. Además, conseguir hermosas plantas a partir de unas minúsculas semillas es algo que siempre llena de orgullo a cualquier aficionado. Lo ideal es sembrarlas en un semillero o en un pequeño invernadero. Pero también se pueden sembrar en pequeñas cubetas y colocarlas en la repisa interior de una ventana para que reciban luz y calor. Si están protegidas de las heladas y de los cambios bruscos de temperatura (a partir de finales de invierno/principio de primavera), la mayor parte de las semillas germinará en pocos días. Así, cuando llegue la primavera tendrá plantas suficientemente fuertes como para trasplantarlas al jardín. A partir de finales de primavera también puede sembrarlas directamente en este.

La primavera es el mejor momento para obtener nuevas plantas a partir de fragmentos de otras. Tanto si es por esquejes o estolones como por división, la reproducción vegetativa siempre producirá plantas idénticas a la planta madre.

Al jardín

En cuanto las raíces de las plantas hayan formado un cepellón consistente en sus macetas las podrás trasplantar al jardín. Una vez elegido su emplazamiento definitivo, extráigalas de las macetas, plántelas en el suelo con la ayuda de la laya de mano y riéguelas abundantemente. Si las planta en jardineras exteriores, tenga en cuenta que también deberá emplear un sustrato acorde con las necesidades de la planta y su situación.

Si desea ir por la vía rápida y ahorrarse trabajo comprando plantas ya desarrolladas, asegúrese muy bien de que sean de buena calidad.

Los trabajos del jardín le resultarán mucho más agradables si dispone de las herramientas adecuadas

> PRÁCTICA

Cultivo de plantas a partir de semillas

Es muy sencillo hacer germinar las semillas de las hierbas anuales y bienales. De hecho, se desarrollan rápidamente y al cabo de muy poco tiempo ya tendrá plantas listas para ser utilizadas.

Obtener las plantas a partir de semillas no sólo es interesante y entretenido, sino que además nos permite ahorrar mucho dinero. Con las semillas que hay en una bolsita tendremos suficiente para toda la temporada.

Semillas de calidad

Adquiera siempre semillas de buena calidad y libres de enfermedades. Para que se conserven fértiles es necesario guardarlas protegidas del aire y de la humedad. Lo mejor es comprar semillas frescas, porque cuanto más viejas sean peor germinarán. En la bolsita suele indicarse si se trata de semillas que germinan con luz o si lo hacen en la oscuridad. A las que germinan en la oscuridad es necesario cubrirlas con una capa de tierra cuyo grosor sea por lo menos como el de la propia semilla. A las que germinan con luz bastará con apretarlas un poco en la superficie del suelo. Usted mismo podrá recoger semillas de capuchina, caléndula, hinojo, eneldo o perejil para luego volver a plantarlas. Antes de que se abran los frutos, recoja las semillas, déjelas secar y guárdelas para sembrarlas al año siguiente.

¿Sembrar dentro o fuera?

A partir de principio de primavera ya puede sembrarlas en el exterior. Las especies resistentes a las heladas podrá sembrarlas directamente en el jardín, pero las que necesitan calor, como la tagetes y la ajedrea es mejor sembrarlas en cubetas colocadas en la repisa interior de la ventana o en un invernadero con calefacción. Si va a emplear un invernadero sin calefacción o un semillero (que no es más que un cajón cubierto con un cristal), la siembra de las plantas más tempranas empezará a mediados de primavera. En el comercio también encontrará pequeños invernaderos cuya forma y tamaño le permitirán colocarlos fácilmente en la repisa de la ventana. Están provistos de una cubierta de plástico que permite mantener una humedad relativa muy constante del aire que resulta ideal para las pequeñas plantitas. Según la luz y el calor que reciban podrá iniciar la siembra a principio de primavera. A partir de final de primavera se pueden sembrar al aire libre incluso las especies más sensibles al frío.

Siembra dentro de casa

Para la siembra de plantas en el invernadero o en la repisa de la ventana se emplean cubetas (fotos 1 y 2). Para las semillas más grandes se pueden emplear

---

SIEMBRA EN CUBETAS

E	F	M	A	M	J	J	A	S	O	N	D

Tiempo necesario:
- 15-60 minutos.

Material:
- Tierra de siembra.
- Semillas.

Herramientas y accesorios:
- Cubetas planas para sembrar.
- Listones de madera.
- Cedazo para tamizar la tierra.
- Tapa o lámina de plástico.
- Pulverizador de agua para flores.

macetas de turba o de celulosa. Se llenan con tierra de siembra, se colocan las semillas en su interior (una por maceta) y se dejan germinar. Emplee exclusivamente tierra de siembra comprada en un centro de jardinería. No deberá estar abonada ni contener partículas gruesas. Cuando las semillas germinen tendrá que separar las plantitas en cuanto desarrollen su primer par de hojas (foto 3). Lo más sencillo es introducir cuidadosamente una varilla de madera por debajo de la planta y luego levantarla junto a sus raíces. A continuación debe trasplantarla a macetas de arcilla, turba o celulosa, procurando no lastimar sus delicadas raíces. Así la plantita continuará creciendo y formará lentamente su cepellón.

Siembra directa en el arriate

Si desea sembrar sus hierbas directamente en el jardín, prepáreles una superficie llana en la que no haya tierra apelmazada.

- Emplee una cubierta de plástico para proteger la simiente y las plantitas de las inclemencias del tiempo. Así también les proporcionará una temperatura más elevada y la humedad relativa del aire se mantendrá constante (foto 4).
- En cuanto las semillas germinen y empiecen a producir raíces, controle la distancia entre las plantitas. Si se estorban mutuamente, seleccione las más robustas y trasplántelas a otra zona del arriate.

1

Sembrar las semillas de las plantas
Llenar un semillero con tierra para sembrar (¡sin abono!), humedecerla ligeramente y alisarla. Esparcir las semillas uniformemente.

2

Cubrir las semillas con tierra
Las semillas que germinan con luz sólo hay que apretarlas ligeramente contra el sustrato; a las que lo hacen en la oscuridad hay que cubrirlas con una capa de tierra de 0,3-1 cm de espesor. A continuación, humedecer bien y cubrir con un cristal o con una lámina de plástico.

Separar las plantitas
Cuando las plantitas ya hayan desarrollado uno o dos pares de hojas habrá que extraerlas cuidadosamente con la ayuda de una varilla de madera y trasplantarlas a macetas individuales.

Una cobertura de plástico
Las hierbas que necesitan mucho calor, como la albahaca, se desarrollan bien bajo una cubierta de plástico que se pueda abrir o cerrar en función de las condiciones meteorológicas.

4

> PRÁCTICA

Cultivo de hierbas a partir de fragmentos de plantas

A partir de las raíces, los estolones y los fragmentos del tallo de una planta madre pueden obtenerse muchas plantas hijas idénticas a ella. Así podrá conservar sus variedades más costosas sin tener que volver a comprarlas cada vez.

CORTAR ESQUEJES DE HIERBAS

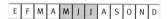

E	F	M	A	M	J	J	A	S	O	N	D

Tiempo necesario:

- 30-60 minutos.

Material:

- Tierra de siembra.

Herramientas y accesorios:

- Macetas y bandejas con macetas múltiples.
- Cuchillo afilado.
- Varilla de madera para separar las plantas.
- Palitos.
- Hoja de plástico.

Cuando usted obtiene plantas a partir de fragmentos de una planta madre, las nuevas conservarán todas las características de esta ya que su información genética se encuentra en cada una de sus partes. Por lo tanto, para la reproducción de los vegetal es imprescindible partir de una planta madre perfectamente sana.

Hierbas a partir de esquejes

Como esquejes emplearemos generalmente los extremos tiernos de los tallos, aunque los tramos intermedios también pueden llegar a arraigar. A finales de primavera y junio son los mejores para llevar adelante la reproducción por esquejes, ya que es cuando los brotes nuevos empiezan a madurar. Pero es importante que todavía no hayan llegado a florecer, ya que entonces toda la energía del brote se destinaría a la floración y no a la producción de raíces.

- Corte el esqueje por debajo de una hoja o de un par de hojas empleando un cuchillo bien afilado (foto 1).
- Llene una maceta o bandeja de macetas (foto 2) con tierra especial para la siembra o con una mezcla de tierra y arena a partes iguales y sin fertilizantes. Apriétela con una tabla.
- Haga un pequeño hoyo con ayuda de una varilla de madera y coloque cuidadosamente el brote sin doblarlo (foto 2).
- Riegue abundantemente con un pulverizador de agua o con una regadera provista de difusor.
- Cubra con un cristal o con una lámina de plástico para mantener una humedad uniforme (foto 3).
- Deje la maceta en un lugar cálido y bien iluminado durante las próximas semanas; mantenga la tierra húmeda.
- Cuando aparezcan las primeras hojas, retire la cobertura y no tarde mucho en trasplantar las plantas (foto 4). La multiplicación por esquejes es especialmente apropiada para plantas parcialmente leñosas tales como la lavanda, la salvia, el romero, la ajedrea de monte, el hisopo, la ruda, el ajenjo, la santolina, la siempreviva y el laurel.

Otros métodos de multiplicación

Además de por esquejes, también existen otros métodos para conseguir que sus plantas se multipliquen.

Multiplicación por estolones

Los ejemplares grandes de salvia, orégano, menta o estragón suelen presentar tallos a ras de suelo. Sujételos al sustrato con una piedra o con una pinza de alambre. Al cabo de pocas semanas producirán raíces nuevas y los podrá separar de la planta madre.

División de plantas

A partir de plantas densas como las de cebollino, perejil, levístico, menta, o melisa, es fácil obtener nuevas plantas. Para ello basta con dividir la mata con una laya (foto 5), aunque también se puede extraer toda la planta y cortarla en pequeños trozos con un cuchillo bien afilado. Lo mejor es hacerlo en primavera, pero también se pueden obtener buenos resultados en otoño. Plante los trozos de nuevo y riéguelos abundantemente. Si se divide la planta en trozos muy pequeños, es mejor plantarlos en macetas y no trasplantarlos al jardín hasta que hayan desarrollado un buen cepellón.

Multiplicación por trozos de raíz

La menta y el estragón producen estolones muy visibles que les permiten ganar amplitud constantemente. Para conseguir plantas nuevas con el mínimo esfuerzo bastará con cortar estos estolones y plantarlos en otro lugar. Conviene cortarlos en primavera o en otoño.

1 Cortar el esqueje
Corte brotes de 3-8 cm de la planta madre empleando un cuchillo bien afilado o una tijera de jardín y elimine los pares de hojas inferiores.

Plantar el esqueje 2
Plante el esqueje con ayuda de una varilla de madera y apriete bien la tierra. El par de hojas inferior deberá quedar por encima del sustrato. Regar generosamente.

Cubrir los esquejes
Clavar unos palitos en la tierra para mantener la cobertura a una cierta altura por encima de las plantas. Colocar la bandeja de macetas en un lugar cálido (15-20 °C) y con buena luz.

Trasplantar las plantitas
Los esquejes arraigan al cabo de tres a cinco semanas. Trasplántelos cuidadosamente a una maceta mayor o al jardín.

División de plantas
Las plantas muy densas, como la menta, se pueden dividir fácilmente cortando su cepellón con un cuchillo bien afilado y plantando los fragmentos por separado.

> PRÁCTICA

Plantación del arriate de hierbas

El jardín de herbáceas empieza a cobrar un buen aspecto cuando las plantamos en sus arriates. Tanto si se trata de plantas compradas como cultivadas en casa, pronto empezarán a difundir su aroma.

Para que las plantas crezcan frondosas es imprescindible colocarlas en el lugar adecuado y proporcionarles el sustrato que necesitan (véanse las páginas 10/11). Compruebe su calidad antes de plantarlas.

Evaluar la calidad

Las plantas de buena calidad se desarrollan de forma compacta. Por ello, los tallos largos y delgados indican dejadez o un cuidado erróneo durante el cultivo. Son plantas que han recibido poca luz o se les ha suministrado demasiado nitrógeno: factores ambos que las debilitan y dificultan su desarrollo. Saque el cepellón para mirarlo de cerca y échele un vistazo a sus raíces: la tierra de la maceta tiene que estar llena de estas (foto 1). Si las raíces ya salen de la maceta es señal de que la planta ha dejado atrás el mejor momento para plantarla, si, por el

contrario, tiene pocas raíces y el cepellón se deshace al sacarlo de la maceta, indica que tampoco es de buena calidad. También hay que asegurarse de que las hojas no presenten lesiones, manchas o parásitos. Las hojas amarillentas o blanquecinas suelen indicar una falta de nutrientes.

Plantación de las hierbas

Las plantas compradas en centros de jardinería, mercadillos y puestos callejeros pueden plantarse durante toda la temporada desde principio de primavera hasta mediados de otoño. Sin embargo, es preferible hacerlo en primavera o en otoño. Las que son plantadas en primavera disponen de toda la temporada para arraigar, para crecer y para fortalecerse antes de que llegue el invierno.

1
Buena calidad y mala calidad
El cepellón debe ser una masa de raíces compacta (a la izquierda). Si las raíces salen de la maceta o son muy escasas, dificultarán el desarrollo de la planta.

2
Extraer de la maceta
Libere el cepellón de la maceta. Para ello, sujete bien los tallos de la planta y tire suavemente haciendo movimientos en uno y otro sentido a la vez que presiona ligeramente la maceta.

Si ya están bien desarrolladas, también soportarán mejor el calor y la sequía del verano. Si las planta en otoño, toda su energía se concentrará en las raíces ya que habrán finalizado su desarrollo vegetativo. Si el suelo es cálido, arraigarán con facilidad. En primavera brotarán estupendamente y se desarrollarán muy bien gracias a las reservas de sus raíces.

Trasplante

Extraiga las plantas de las macetas y preséntelas sobre el arriate siguiendo el plano que había realizado o agrupándolas como mejor le parezca (fotos 2 y 3). La separación entre plantas dependerá de su tamaño (véase la página 35). Empleando una pequeña pala de mano, cave un hoyo lo suficientemente profundo como para que el cepellón quepa bien en su interior (foto 4). Coloque la planta, rellene con la tierra que había sacado y apriétela con ambas manos a su alrededor (foto 5). Una vez colocadas todas las plantas, riéguelas abundantemente, incluso si el día anterior ha llovido y la tierra está todavía húmeda. Es importante que el agua del riego consiga que se fijen pequeñas partículas de tierra a las raíces para que estas recuperen rápidamente su funcionalidad y aporten agua y nutrientes a la planta. También hay que regar con frecuencia durante los días siguientes a la plantación.

PLANTACIÓN EN EL ARRIATE

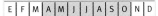

E	F	M	A	M	J	J	A	S	O	N	D

Tiempo necesario:
- 30-60 minutos.

Materiales:
- Hierbas cultivadas en maceta o compradas. De tres a siete plantas por m² según su tamaño.

Herramientas, materiales:
- Pala de mano.
- Regadera.

Cavar el hoyo para la planta
Distribuya las plantas a su gusto. Emplee una pequeña pala de mano para cavar los hoyos de las plantas y ablande un poco la tierra de alrededor.

Plantar las hierbas
Coloque la planta en el hoyo de forma que el cepellón encaje bien en él. Sitúe la planta a la misma profundidad que estaba en la maceta.

Rellenar con tierra
Coloque alrededor del cepellón la tierra extraída para hacer el hoyo. Apisone bien la tierra alrededor de la planta con ambas manos.

> PRÁCTICA

Cómo plantar correctamente en macetas y jardineras

Las hierbas plantadas en macetas y jardineras resultan muy decorativas en balcones y terrazas. Dado que su raíces disponen de poco espacio para que las plantas crezcan exuberantes es necesario proporcionarles condiciones idóneas.

AROMAS FRESCOS EN LAS MACETAS

| E | F | M | A | M | J | J | A | S | O | N | D |

Tiempo necesario:

- 20-30 minutos para una jardinera de 1 m de amplitud.

Materiales:

- Bolitas de arcilla, cascajo o gravilla como capa de drenaje.
- Tierra para plantas.
- Compost maduro.

Herramientas y accesorios:

- Macetas, cubetas, jardineras, etc. con orificio de drenaje.
- Pala de mano.
- Regadera.

Las plantas aromáticas son un complemento ideal para su colección de plantas en macetas. Si las cuida bien, muchas plantas aromáticas pueden vivir perfectamente en una maceta.

Recipientes adecuados

Elija siempre recipientes de acuerdo con las características de cada planta, pero asegurándose de que sean suficientemente amplios y profundos como para que sus hierbas dispongan de espacio para crecer. Las cubetas y jardineras planas van bien para plantas que arraigan superficialmente, como por ejemplo el orégano y el tomillo. Pero las plantas con raíces profundas, como el eneldo o la melisa, necesitan recipientes más hondos.

En el comercio podemos encontrar macetas hechas de los materiales más diversos. Si las plantas van a permanecer en el exterior durante el invierno habrá que proporcionarles recipientes a prueba de heladas, como por ejemplo los de terracota, metal o plástico. Decidirse por macetas de terracota o de plástico no depende solamente de los gustos de cada uno, ya que los materiales influyen mucho en el desarrollo de las raíces de la planta y en la retención de agua por parte del sustrato (véanse las páginas 22/23). Además, recuerde que cuanto más pesada sea la maceta, mayor será su estabilidad y menos riesgo habrá de que se vuelque por el viento.

Asegurar un buen drenaje

La mayoría de las plantas necesitan estar en un lugar seco. Incluso las que necesitan un medio más húmedo sufren bastante si tienen el suelo permanentemente encharcado. Por lo tanto, hay que practicar en la maceta un agujero de drenaje para que salga el agua sobrante del riego. En las macetas de cerámica o de barro sin orificio suele ser bastante fácil practicar uno con un clavo y un martillo, pero ¡ojo!, antes de llenar un recipiente de tierra hay que cubrir el orificio de drenaje con una capa de cascajo o bolitas de arcilla para evitar que se tapone impidiendo la salida del agua. En las macetas de gran tamaño destinadas a plantas vivaces o arbustivas que deberán vivir y crecer durante

1

Colocar la capa de drenaje
Empiece por cubrir los orificios
con un trozo de una maceta rota,
o con un canto rodado, y esparza
a continuación una capa de grava
o bolitas de arcilla hasta cubrir
todo el fondo de la maceta.

2

Colocar las plantas
Llene con tierra una tercera parte
del recipiente y distribuya las
plantas a su gusto. La parte
superior del cepellón deberá
quedar unos 2 cm por debajo del
borde de la maceta.

3

Rellenar y apisonar
Acabe de poner la tierra hasta
rellenar todos los rincones y
apriétela con las manos.
Asegúrese de que quede un
margen de 1 cm hasta el borde
superior para que no se
desborde el agua al regar. Riegue
las plantas generosamente.

muchos años es muy
recomendable no limitarse a
cubrir el orificio con material de
drenaje, sino cubrir todo el
fondo del recipiente con una
capa de drenaje de 2-3 cm de
espesor, que puede ser de bolitas
de arcilla (de las que se emplean
en los cultivos hidropónicos),
grava o cascajo. También se
puede emplear una capa de
cantos rodados de tamaño
mediano.

Un jardín de macetas

Las plantas se colocan en las
macetas principalmente en
primavera, aunque también
puede hacerse en otros meses
en los que tampoco hay riesgo
de heladas. Como sustrato es
aconsejable utilizar una mezcla
de tierra para flores ya
preparada y con buena
capacidad para retener agua y
nutrientes. También se puede
comprar tierra especial para
plantas aromáticas. Para las
hierbas que necesitan un medio
especialmente cálido y seco hay
que mezclar la tierra para
plantas de flor con un tercio de
arena gruesa y no añadir
ningún fertilizante. Un
contenido en sales demasiado
elevado resulta perjudicial para
las delicadas raíces de las
hierbas. El compost maduro es
una excepción y se puede
añadir un tercio a la mezcla.
- Emplee cantos rodados o
bolitas de arcilla para formar
una capa de drenaje (foto 1).
Cúbrala con tierra ligeramente
húmeda.
- Sitúe las plantas y colóquelas
sobre el sustrato (foto 2).

- Sujete la planta por sus tallos
inferiores con una mano y añada
tierra con la otra apretándola
sobre el cepellón (foto 3).
- Asegúrese de que la planta
permanezca estable en la
maceta y de que no se mueva
con el cepellón. Así también
resistirá el efecto del viento.
- Riegue las hierbas
abundantemente hasta que el
agua sobrante salga por el
orificio de drenaje. Haga una
pausa para que el sustrato
absorba bien el agua y luego
siga regando.
- Durante los días calurosos del
verano es aconsejable dejar
durante algunos días las plantas
recién trasplantadas en un lugar
con sombra. Así las raíces se
desarrollarán sin necesidad de
suministrar constantemente
agua a las hojas.

> PREGUNTAS Y RESPUESTAS

Sugerencias de los expertos para sembrar y plantar

Si las plantas no prosperan bien después de sembrarlas, multiplicarlas o plantarlas, es urgente saber qué conviene hacer. Aquí encontrará las respuestas a las principales cuestiones que se le pueden plantear con relación a este tema.

? **Al perejil que planté en la maceta del balcón se le han puesto las hojas amarillas y ya no crece como antes. ¿Qué le pasa?**

El perejil necesita un sustrato húmedo y rico en humus. En una maceta de balcón puede suceder fácilmente que la tierra se seque por completo o que la falta de una capa de drenaje haga que se acumule el agua y las raíces se pudran por falta de oxígeno. El perejil hay que plantarlo en una maceta suficientemente grande y profunda como para que queden 2-3 cm libres alrededor de todo el cepellón. Si en la maceta hay varias plantas, deberá haber entre ellas una separación de unos 10 cm. Mantenga la tierra siempre húmeda y no deje que nunca se llegue a secar. Asegúrese de que la maceta tenga orificios de drenaje y cubra el fondo con una capa de gravilla gruesa o con

bolitas de arcilla. Emplee un sustrato bien estructurado y que contenga tanto partículas finas como gruesas, ya que solamente así retendrá bien el agua. También puede emplear tierra para plantas de flor mezclada a partes iguales con un compost bien maduro.

? **Si empleo macetas de terracota, ¿tengo que limpiarlas o prepararlas de algún modo antes de colocar las plantas en ellas?**

Las macetas de terracota recién compradas deberá dejarlas durante algunas horas en un cubo lleno de agua. Lo mejor es que permanezcan en remojo durante toda la noche. Así la terracota porosa se embeberá completamente de agua. Si no lo hace así, cuando riegue sus plantas por primera vez, el agua no llegará a las raíces sino que la

absorberán las paredes de la maceta. Las macetas viejas y que ya han sido utilizadas anteriormente hay que limpiarlas a fondo con agua y un cepillo antes de volver a plantar en ellas. Como a veces incluso presentan incrustaciones de cal debidas al agua de riego, conviene añadir un chorrito de vinagre al agua con que las lava.

? **Las hierbas de las macetas de mi balcón no crecen en absoluto. ¿Qué puedo hacer?**

Es posible que ya no dispongan de suficiente espacio en sus macetas. Trasplántelas con cuidado y asegúrese de que las raíces todavía disponen de suficiente tierra. Si el cepellón es muy denso o las raíces empiezan a salir por el orificio de drenaje, sus plantas necesitan una maceta más grande. Colóquelas en una maceta en la que alrededor del cepellón haya un margen de por lo menos 2 cm más que en la antigua. Si ya están en macetas muy grandes y no quiere trasladarlas a otras aún mayores, extráigalas y corte unos 2-3 cm del borde del cepellón mediante un cuchillo bien afilado. A continuación vuelva a colocarlas en las mismas macetas y añada tierra nueva.

? Me queda un saco de tierra abierto del año pasado. ¿Puedo usar tranquilamente esa tierra?

Todo dependerá de cómo haya guardado esa tierra. Generalmente lo mejor es guardarla en bolsas o cubos de plástico bien cerrados y dejarla así en un garaje o en un cobertizo para que no se seque. Si la tierra está muy seca tendrá problemas a la hora de regar sus plantas ya que no retendrá bien el agua y a las raíces les costará mucho crecer en ella.

? Mis esquejes de lavanda se han estropeado al cabo de dos semanas. ¿Qué puedo haber hecho mal?

Los esquejes apicales de lavanda no deben ser demasiado tiernos, ya que les cuesta mucho arraigar. Y si la humedad es excesiva acaban pudriéndose. Para evitarlo, mezcle la tierra con dos tercios de arena. Además, nunca hay que regar ni pulverizar agua directamente encima de los esquejes sino en la tierra. Para proporcionarles un calor uniforme desde abajo y, a la vez, evitar el exceso de agua que favorece el desarrollo de las raíces, coloque la bandeja con los esquejes en la repisa interior de una ventana. Y a ser posible sobre un radiador. No se olvide de cubrir la cubeta con una lámina de plástico para evitar que se evapore toda el agua y conseguir que la tierra permanezca uniformemente húmeda (véanse las páginas 50/51). Retire la cubierta en cuanto los esquejes empiecen a arraigar y levante ligeramente las plantitas con una varilla de madera para ver si ya han empezado a aparecer las primeras raíces.

? El año pasado planté caléndulas, pero ahora se han propagado excesivamente por semillas y están por todas partes. ¿Compiten con las otras hierbas?

Las raíces de las caléndulas aportan al suelo algunas sustancias que influyen positivamente en el desarrollo de las plantas cercanas y en la calidad del suelo. Por este motivo son unas compañeras ideales para todas las demás hierbas, y especialmente para aquellas que con frecuencia se ven perjudicadas por los nematodos del suelo, ya que estos gusanos no toleran la proximidad de las caléndulas. Entre ellas se cuentan muchas apiáceas. No obstante, si las caléndulas crecen con tal densidad que cubren a las demás plantas e impiden que les llegue la luz, es necesario retirar algunas y trasladarlas o eliminarlas.

? No tengo jardín, pero me gustaría plantar algunas plantas aromáticas en las macetas de la ventana. ¿Cuáles son las más adecuadas y las que antes podré recolectar?

En las macetas o jardineras de su ventana puede poner plantas pequeñas o de talla media, como por ejemplo tomillo, cebollino, perejil o hisopo, y también variedades de crecimiento lento tales como el orégano enano y la salvia con hojas de color. La combinación de los colores y formas de las hojas de estas plantas proporciona un efecto muy atractivo, de manera que tendrá siempre una buena variedad al alcance de la mano. Algunas plantas anuales también resultan muy adecuadas a este propósito ya que crecen bien en una ventana y pueden ser recolectadas al cabo de pocos días o semanas después de sembrarlas. Entre ellas se cuentan la albahaca, la ajedrea anual, el perifollo y el cilantro. También puede disponer de plantas frescas sin necesidad de tener jardín, macetas o tierra —iy en cuestión de pocos días!— Las semillas del mastuerzo, por ejemplo, germinan fácilmente en un paño de cocina húmedo colocado en un lugar al que llegue bien la luz. También resultan muy alegres y decorativas esas figuritas de arcilla a las que les «crece el pelo verde» a base de mastuerzo o berro de jardín. Se pueden adquirir en cualquier centro de jardinería y son un buen adorno para la cocina.

Cuidados de las plantas a lo largo del año

Si las cuidamos bien y les proporcionamos un emplazamiento adecuado, las plantas nos lo agradecerán creciendo sanas y frondosas. Entre los cuidados periódicos se incluyen tanto el riego, el abonado y la poda como la protección invernal y el control de plagas y parásitos.

Las plantas aromáticas son unas de las más resistentes y fáciles de cuidar de cuantas podemos mantener en nuestro jardín o terraza, sin embargo, también necesitan algunos cuidados durante la temporada que va de principio de primavera a mediados de otoño.

Cuidados

Si las condiciones climáticas, la ubicación o las características del suelo no son las idóneas es posible que las plantas no crezcan bien o que no lo hagan en absoluto. Muchas veces se obtienen buenos resultados aplicando medidas tan sencillas como, por ejemplo, cubrir las plantas con una tela de saco o mejorar la calidad del suelo. Frecuentemente, el crecimiento depende de que las cosas se hagan en el momento adecuado. Si se realizan los trabajos de riego, abonado y acolchado cuando corresponde hacerlo es posible evitarse muchos quebraderos de cabeza. En efecto, aplicando el fertilizante idóneo en el momento adecuado se consigue mejorar el desarrollo de la planta y no quemar sus raíces. Sin embargo, muchas veces también se trata del cómo; por ejemplo, si le resulta pesado llevar la regadera de un lado a otro en los días calurosos de verano, a lo mejor le saldría a cuenta instalar un sistema de riego automático. También, cubrir los arriates con una capa de acolchado impide la aparición de malas hierbas y ahorra mucho trabajo.

Si sus hierbas se ven afectadas por parásitos o enfermedades, pulverícelas con infusión de tanaceto o de ajo, pero aún mejor si tiene esas plantas en su propio jardín.

Con cuchillo y tijera

Es también muy importante saber cómo hay que cortar las plantas. Las que bordean los arriates, así como los ejemplares grandes y que se lignifican por la base, como la lavanda, la salvia o el ajenjo, solamente resultan atractivas a largo plazo si se las poda regularmente para que conserven su forma. En efecto, la poda de rejuvenecimiento estimula la bifurcación de los brotes, con lo que las plantas se conservan densas y compactas.

> En los días calurosos del verano las hierbas necesitan mucha agua, pero si sigue nuestros consejos ahorrará algo más que agua.

> PRÁCTICA

El riego

Muchas plantas toleran muy bien la sequía, pero, igualmente, durante los meses más calurosos del año necesitan un adecuado aporte de agua. Para ello disponemos de diferentes ayudas.

Muchas plantas simplifican considerablemente la tarea de darles agua. Algunas, como la lavanda y el romero, solo tienen hojas aciculares de color verde grisáceo, o bien hojas pilosas plateadas, que les proporcionan una buena adaptación a los lugares soleados (véase el recuadro de la página 11). Transpiran poco incluso en días muy calurosos y por lo tanto necesitan poca agua. Otras, como el perejil y la menta, tienen hojas verdes, grandes y carnosas por las que pierden notablemente más agua durante los días calurosos del verano. Por lo tanto, sus raíces necesitan más agua y hay que regarlas con más frecuencia.

Reglas de oro para el riego

Estas reglas han demostrado ser muy prácticas a la hora de realizar el riego con la regadera y el difusor:

- Emplee preferiblemente agua de lluvia o agua desmineralizada. Así no contendrá cal y evitará esa antiestéticas manchas blancas en la tierra y en las macetas.

También puede emplear agua del grifo reposada. Así estará templada y será más beneficiosa para las raíces.

- Emplee una regadera o una manguera sin difusor y riegue directamente sobre el suelo, no sobre las plantas. Expuestas al sol, las gotitas de agua que quedan sobre las hojas pueden actuar como pequeñas lupas y ocasionar quemaduras. Además, el agua llega mejor a las raíces si se vierte en su proximidad.

- Es mejor regar con poca frecuencia, pero en abundancia. Riegue preferiblemente durante las primeras horas de la mañana o a última hora de la tarde. Así se evaporará menos agua por efecto del sol y la planta la aprovechará mejor.

- Por otra parte, el riego matinal evita la posible aparición de hongos ya que tanto las plantas como el suelo tardan poco en secarse.

- Las plantas que estén en macetas puede ser regadas por el plato que tienen debajo. Así las raíces absorben antes el agua. Elimine la sobrante al cabo de media hora para evitar la putrefacción de las raíces.

- Si a pesar de todo alguna vez nota que las hojas de sus plantas están muy caídas, sumérjalas en agua con maceta y todo y déjelas hasta que ya no salgan burbujas.

Ayudas prácticas

Existen algunos accesorios que le permitirán dejar sus macetas

---

Información

CONTROL DEL AGUA

También en las macetas, las hojas colgantes y marchitas indican que a la planta le falta agua. En muchos casos llega a formarse una apreciable separación entre el cepellón y la pared de la maceta y la tierra se agrieta. Al levantar la maceta se nota, en ese caso, que pesa poco. Haga la prueba del dedo: introduzca un centímetro el dedo en la tierra. Si allí la tierra está seca es señal de que hay que ir a por la regadera.

o su arriate con plantas sin regar durante algunos días.

- **Riego por goteo:** consiste en disponer un tubo que se conecta a un grifo y libera el agua gota a gota en la tierra por debajo de las plantas. Se puede acoplar a un sistema de control que mide automáticamente la humedad del suelo y regula el flujo de agua. Existen sistemas de riego por goteo tanto para jardines como para macetas.

- **Jardineras con reserva de agua:** la jardinera tiene en su base un depósito de agua separado del sustrato por un doble suelo. El agua se llena a través de un conducto con rebosadero. El sustrato absorbe el agua de este depósito y así las plantas pueden aguantar algunos días sin necesidad de ser regadas.

- **Bolas de riego con base de arcilla:** existen bolas de diferentes tamaños y con una capacidad de hasta medio litro. Se llena la bola de agua y se clava el soporte en la tierra de la maceta. Así, las plantas absorben solamente el agua que necesitan.

- **Conos de arcilla:** estos conos se clavan en la tierra y están conectados mediante un tubo a un depósito de agua situado en alto para que la columna de agua ejerza una cierta presión. Las raíces de las plantas recibirán más o menos agua en función de la humedad del sustrato.

1
Riego automático
Un sistema de riego por goteo con control automático puede encargarse de cuidar sus plantas incluso cuando usted se ausente una larga temporada.

Jardineras con depósito de agua
2
El depósito situado en la base de la jardinera proporciona a las raíces el agua que necesitan. Asegúrese de que la jardinera esté perfectamente horizontal para que el agua se distribuya uniformemente.

Bolas de riego
3
Estas decorativas bolas con agua resultan muy útiles para macetas individuales que deben mantenerse húmedas durante algunos días. Se comercializan en distintos colores.

Conos de arcilla
Clávelos en la tierra de las macetas y conéctelos a un depósito de agua situado en alto. Pueden aportar agua a macetas o jardineras individuales durante aproximadamente una **4** semana.

> PRÁCTICA

Fertilizantes y acolchado para plantas

Empleando con moderación un fertilizante apropiado ayudaremos a que las plantas se desarrollen espléndidamente. Pero es importante proporcionarles los nutrientes en el momento adecuado. Cubrir el suelo con una capa de acolchado ayuda a conservar la humedad a la vez que se impide la aparición de malas hierbas.

Además de agua y luz, las plantas también necesitan nutrientes. Las plantas verdes emplean sus raíces para absorber del suelo los nutrientes disueltos en el agua que necesitan para el desarrollo de sus tallos y hojas, para florecer y para producir frutos y semillas.

Nutrientes para plantas

La plantas que están adaptadas a vivir en suelos pobres en nutrientes pueden crecer y florecer perfectamente con un mínimo aporte de estas sustancias. Entre ellas se cuentan

Cubrir el arriate con una capa de acolchado
Para proteger a las plantas es conveniente cubrir el suelo con una capa de 3-5 cm de restos vegetales tales como césped cortado, paja, hojarasca o compost medio descompuesto.

Esparcir el compost
Para que el compost esté maduro y listo para usar es necesario dejarlo madurar por lo menos durante quince meses. Para abonar las plantas, esparza una capa de 1-2 cm de espesor cubriendo el suelo entre ellas.

Fertilizante de larga duración
Emplee un pequeño rastrillo de mano para trabajar la superficie del suelo y mezclarla con el fertilizante. Es aconsejable hacerlo con el suelo ligeramente húmedo y en días nublados.

la lavanda, la salvia, la santolina y el tomillo. Si estas plantas reciben un exceso de nutrientes –especialmente en forma de abonos demasiado ricos en nitrógeno– suelen producir tallos y hojas excesivamente grandes a la vez que se reblandecen todos sus tejidos. Al mismo tiempo, se vuelven más sensibles a las enfermedades y a los parásitos y toleran peor el invierno. Pero también hay plantas que necesitan un buen aporte de nutrientes y lo agradecen con un buen desarrollo, como por ejemplo el levístico y el rábano rusticano.

Tipos de fertilizantes

Existen dos grandes grupos de fertilizantes, los orgánicos y los inorgánicos o minerales:

- **Fertilizantes orgánicos:** son de origen natural. Entre ellos se cuentan el guano, el compost y las infusiones vegetales (véanse las páginas 66/67). Son de efecto lento ya que antes de pasar a las plantas necesitan ser asimilados por los microorganismos del suelo, pero al mismo tiempo son de larga duración.
- **Fertilizantes inorgánicos o minerales:** son productos sintéticos (por ejemplo en forma de granulado) que contienen una relación equilibrada y predeterminada de los principales nutrientes necesarios para las plantas. Dado que las plantas los absorben directamente, su efecto es inmediato. Al emplear estos productos hay que prestar mucha atención a las

Información

CALENDARIO DE ABONADO

- Principios de primavera: después de plantar, abonar con compost o con un abono orgánico.
- Finales de primavera: las plantas que necesitan muchos nutrientes hay que abonarlas una o dos veces con fertilizantes de efecto rápido.
- Principio/mediados de verano: abonar sólo si es realmente necesario.
- Principios de otoño: los suelos pobres hay que abonarlos con compost cada dos o tres años.

instrucciones que vienen en el envase, ya que un exceso podría resultar muy perjudicial para las raíces.

A las plantas suelen bastarles los fertilizantes orgánicos de efecto lento. Además, estos suelen resultar más económicos y resultan menos perjudiciales para el medio ambiente, ya que están formados por sustancias naturales.

El momento adecuado

Solamente hay que administrar fertilizantes cuando las plantas están en fase de crecimiento, es decir, cuando puedan absorber los nutrientes que se les ofrecen. El momento para proceder al primer abonado del año es a principio de primavera cuando las plantas empiezan a brotar. El nitrógeno es el nutriente que más estimula su crecimiento durante las primeras semanas de la nueva temporada. A partir de mediados de verano los tallos ya habrán acabado de crecer y no necesitarán más nitrógeno. Es el momento de abonar con algún producto rico

en potasio, ya que este nutriente favorece la maduración de los tallos y les hace ser más resistentes al frío.

Acolchado de los arriates con hierbas

De primavera a otoño resulta muy beneficioso acolchar los arriates cubriendo el suelo entre las plantas con una capa de 3-5 cm de paja, heno, hojarasca o compost descompuesto (foto 1).
- El acolchado protege al suelo de la radiación solar e impide que se deshidrate con rapidez.
- La cobertura del suelo dificulta la aparición de malas hierbas.
- Su descomposición favorece el desarrollo de la microfauna del suelo.
Los organismos del suelo también consumen nitrógeno, por lo que antes de colocar el acolchado habrá que esparcir un poco de abono nitrogenado. Así no habrá escasez de este nutriente y se desarrollarán perfectamente tanto las plantas como los microorganismos.

63

> PRÁCTICA

Cómo recortar las plantas para cuidarlas y darles forma

Una de las principales herramientas para el cuidado de las hierbas es la tijera de jardinero para dar forma, hacer la poda de rejuvenecimiento, aclarar o recolectar. El buen uso de la tijera le dará unas plantas más compactas y bonitas.

No siempre se corta del mismo modo. Distinguiremos entre poda de rejuvenecimiento (después de la floración), poda de mantenimiento y poda para dar forma. Todas estas variantes tienen en común que favorecen la salud y el desarrollo de la planta a la vez que exigen muy poco esfuerzo. En las plantas que producen flores, la poda permite prolongar la floración.

La poda de rejuvenecimiento estimula el desarrollo compacto

A las plantas perennes conviene aplicarles una poda de mantenimiento para que conserven su desarrollo compacto. Según su morfología podemos diferenciar dos grupos:

■ Lavanda, salvia e hisopo son plantas semiarbustivas y con la parte inferior leñosa. Son sensibles a las heladas por lo que es mejor podarlas a finales de primavera, cuando brotan las primeras yemas (dibujo 1). Tenga la precaución de cortar sólo hasta donde los tallos tengan hojas, así no se secarán. Si la forma de la planta ya no resulta agradable a la vista, tiene tallos demasiado largos y ha dejado de florecer en abundancia, pódela también después de que florezca. Puede ser necesario podarla cada dos o tres años, o incluso anualmente.

■ La menta y la melisa pertenecen al segundo grupo. Constantemente producen nuevos tallos que brotan del suelo. Para conservar su frescor hay que efectuar una poda de rejuvenecimiento casi a ras de suelo (dibujo 3) cada vez que la planta supere los 20-30 cm de altura. Así se estimula el crecimiento de los tallos tiernos a la vez que se impide una excesiva propagación de la planta.

La poda casi a ras de suelo, así como aclarar los tallos individuales, permite una mejor circulación del aire y evita la aparición de enfermedades causadas por hongos tales como la roya y oídio.

Cortar las flores periódicamente

Podando las plantas periódicamente y de la forma

Información

DESARROLLO EN FORMA DE ARBOLITO

Tal como explicamos, a partir de un laurel o de un romero denso conseguirá un decorativo arbolito de por lo menos 30 cm de altura.

■ Elija un tallo fuerte del centro de la planta para convertirlo en tronco y elimine todas sus ramificaciones a excepción de algunos brotes fuertes del extremo superior.

■ Pódelos de dos a cuatro veces al año, de modo que adquieran una forma esférica compacta y la planta vaya pareciéndose cada vez más a un árbol en miniatura.

■ Elimine inmediatamente cualquier otro tallo que pueda surgir de la raíz o del tallo principal.

correcta se estimula la floración de especies tales como la caléndula y el tagetes. Si va eliminando las zonas que ya hayan florecido conseguirá que la planta florezca de nuevo (dibujo 2). Sin embargo, en la menta, el estragón y la albahaca es recomendable cortar las flores antes de que lleguen a abrirse. Así, las plantas se ramifican más y producen más hojas verdes que usted podrá emplear como condimento. En las plantas cuyas hojas sólo tienen buen sabor antes de la floración, se consigue prolongar el tiempo de recolección si se cortan las flores. Entre estas se cuentan el cebollino y la pimpinela.

Para dar forma

La poda también suele emplearse para conseguir formas ornamentales (dibujo 4). Este tipo de poda suele emplearse en especies leñosas y semiarbustivas como la lavanda y el laurel. Deles forma primero en primavera y repita el procedimiento una o dos veces más en función de su desarrollo (la última como muy tarde a finales de verano). Se pueden conseguir plantas en forma de bola o de pirámide (véase la página 75) podándolas a mano alzada o con la ayuda de cañas de bambú, alambre o plantillas. Para conseguir que las plantas que rodean los arriates conserven una altura uniforme (20-30 cm) hay que podarlas en primavera y repetir después de que florezcan (en verano). Si las poda en días nublados se regenerarán antes.

1
Poda de mantenimiento
A las plantas de desarrollo arbustivo, como la lavanda, la salvia o la santolina, conviene podarlas a principio de primavera reduciéndolas casi un tercio para conseguir que sean más compactas.

2
Poda de rejuvenecimiento después de la floración
A principios de verano se podan estas plantas y se eliminan los restos de la floración. Se puede aprovechar la ocasión para recortar un poco los tallos.

3
Poda casi a ras de suelo
Las plantas muy vivaces se cortan periódicamente (también al recolectarlas) apenas un centímetro por encima del suelo. Así se consigue controlar su crecimiento.

Poda para dar forma
Las hierbas semiarbustivas pueden podarse para conseguir formas esféricas o piramidales. El trabajo se puede efectuar con la ayuda de cañas o de plantillas.
4

> PRÁCTICA

La salud del jardín de plantas aromáticas

Para conseguir que las hierbas estén siempre sanas conviene aplicar algunas medidas preventivas. Si apareciesen parásitos o llegase a manifestarse alguna enfermedad hay que estar dispuestos a combatirlos de la forma más eficaz posible.

PREPARACIÓN DE UN EXTRACTO DE HIERBAS

| E | F | M | A | M | J | J | A | S | O | N | D |

Tiempo necesario:
- 30-60 minutos.

Material:
- 1-1,5 kg de hierbas frescas o 150-200 g de hierbas secas.
- 10 l de agua.
- 50 g de roca pulverizada.

Herramientas y accesorios:
- Tijera de jardín.
- Regadera.
- Cubo grande o bidón de plástico.
- Palo para remover.

Para conseguir unas hojas realmente aromáticas y sabrosas es necesario que las plantas estén sanas, por eso es muy importante protegerlas de enfermedades y parásitos. Las infusiones y extractos de preparación casera le ayudarán a vigorizar sus hierbas y aumentar su resistencia a este tipo de agresiones. Si, a pesar de todo, sus plantas llegasen a infestarse de pulgones, actúe rápidamente con los medios más eficaces de que disponga.

Medidas preventivas

Siempre es mejor prevenir la aparición de enfermedades y parásitos. Fortalezca sus plantas contra estos agresores:
■ Compre y plante únicamente matas libres de parásitos y enfermedades.
■ Sitúelas en una parte del jardín que responda a sus necesidades naturales. Si las plantas están bien ubicadas serán más resistentes.
■ Plántelas bien espaciadas para asegurar una buena circulación del aire. Si las poda periódicamente, por ejemplo para recolectar o aclarar, el aire circulará mejor entre los tallos y evitará que puedan ser atacadas por hongos.
■ Abónelas con moderación, especialmente con nitrógeno (estiércol o abonos preparados), ya que de lo contrario sus tejidos serán más sensibles a la acción de los parásitos y gérmenes patógenos (véanse las páginas 62/63). Analice el suelo para averiguar los nutrientes que contiene.
■ Examine sus plantas con frecuencia para detectar a tiempo cualquier enfermedad o infestación.

Defensa con sus propios medios

Las plantas herbáceas producen aceites esenciales y algunas otras sustancias que les permiten defenderse y repeler a los diversos parásitos y gérmenes patógenos. Por este motivo es muy raro que las plantas más aromáticas lleguen a enfermar. Además, amplían su efecto a las plantas cercanas. La lavanda, por ejemplo, ayuda a repeler los pulgones de los rosales, y la ajedrea los de las judías.

La gracia está en la mezcla

Las plantas herbáceas que plante en su jardín siguiendo este principio de los cultivos mixtos se influirán positivamente entre sí, de manera que mejorará tanto su desarrollo como su resistencia a determinados parásitos (véanse las páginas 34/35).

Plantas herbáceas que se fortalecen entre sí

Empleando plantas herbáceas frescas del propio jardín se pueden preparar fácilmente extractos que resultan especialmente eficaces tanto para tratamientos preventivos como curativos. Para obtener un extracto es necesario hacer fermentar las hierbas en agua durante varios días. Para las infusiones basta con ablandar las hierbas y hervirlas durante un rato. Sin embargo, en caso necesario también se pueden preparar con hierbas secas compradas en un establecimiento comercial

Extractos de hierbas

Los extractos de plantas recién fermentadas actúan como fertilizante líquido, pero hay que diluirlos con agua en una determinada proporción antes de emplearlos como revitalizantes para las plantas (véanse las páginas 68/69). Por otra parte, los extractos sin diluir pueden resultar muy eficaces tanto para prevenir las infecciones por hongos como para combatirlas.
Si desea preparan usted mismo un extracto de hierbas, trocee las más adecuadas (véase la página 67, foto 1) y póngalas en

Trocear las hierbas
Para preparar un extracto necesitará 1-1,5 kg de hierbas frescas, como, por ejemplo, ortigas. Trocéelas con la tijera de jardín o con un cuchillo.

Ponerlas en remojo
Ponga diez litros de agua fría en un cubo de plástico, añada las plantas y déjelo de una a tres semanas en un lugar sombreado.

Añadir roca pulverizada
La mezcla, que empezará a fermentar al cabo de poco tiempo, hay que removerla con un palo. Si le echa un puñado de piedra pulverizada (harina mineral) evitará los malos olores propios del proceso de fermentación. Durante la fermentación se producen burbujas y espuma.

Extracto en fermentación
Según la temperatura y las condiciones ambientales, el extracto estará listo al cabo de unos diez días.

remojo (véase la página 67, foto 2). Al cabo de poco tiempo verá que desprenden burbujas y aparece espuma, señal inequívoca de que están fermentando (véase la página 67, foto 3). En cuanto vea que el agua se aclara y los restos de plantas caen al fondo del

El erizo es un insaciable devorador de caracoles, por lo que siempre será bienvenido en nuestros jardines.

recipiente, el extracto ya estará listo. Si la temperatura ambiental es alta, eso sucederá al cabo de unos diez días, pero si hace frío puede tardar hasta tres semanas.

Para la preparación de este tipo de extractos puede emplear las siguientes hierbas:

Equiseto: es eficaz contra los pulgones. Diluir en la proporción 1 a 5.

Consuelda: aporta nitrógeno y potasio. Diluir en la proporción 1 a 20.

Ortiga: aporta nitrógeno; es eficaz contra los pulgones. Diluir en la proporción 1 a 20.

Ajo: es eficaz contra las enfermedades producidas por

hongos. Diluir en la proporción 1 a 10.

Tanaceto: se emplea sin diluir para combatir a los animales parásitos.

Ajenjo: se emplea sin diluir para combatir pulgones y orugas.

Preparación de infusiones de hierbas

Al contrario que en los extractos, aquí solamente hay que ablandar las hierbas en agua, hervirlas y colarlas.

- Trocee 1-1,5 kg de hierbas frescas y déjelas en remojo durante veinticuatro horas en diez litros de agua fría.
- Pasado ese tiempo, lleve el agua a ebullición y hágala hervir de quince a treinta minutos. Luego déjela enfriar.
- Pase el líquido por un colador muy fino para que no queden restos de plantas que puedan obstruir los conductos del pulverizador.
- Llene un pulverizador con este líquido. La dilución dependerá de las plantas así como de las enfermedades y/o

parásitos que haya que eliminar o prevenir.

- Pulverice directamente sobre las partes afectadas de las plantas. En casos graves puede ser necesario repetir la aplicación durante tres días consecutivos.

Infusión de tanaceto: se emplea sin diluir y es eficaz contra todos los animales parásitos.

Infusión de equiseto: es eficaz contra los hongos y se emplea diluida en la proporción 1 a 5.

Ajenjo: se emplea sin diluir y es eficaz contra los pulgones de las hojas.

Tratamiento de las plantas afectadas

Si a pesar de todas las medidas preventivas observa que sus plantas tienen parásitos o manifiestan algún síntoma de enfermedad, deberá actuar cuanto antes para solucionarlo.

Cómo combatir los pulgones

Los pulgones son muy desagradables, y no sólo por e

Recuerde

CAUSAS QUE PROVOCAN HOJAS AMARILLAS

- ✔ Raíces demasiado húmedas.
- ✔ Daños producidos por el calor: quemaduras de las hojas provocadas por gotitas de agua depositadas a pleno sol.
- ✔ Parásitos de las raíces, como por ejemplo nematodos o larvas de drosófila.
- ✔ Parásitos de las hojas, como por ejemplo ácaros.
- ✔ Falta de nutrientes en el suelo, por ejemplo nitrógeno, hierro o magnesio.

Caléndulas y ajos juntos en un mismo arriate mantienen sano el suelo y repelen a los parásitos.

hecho de que se coman las plantas que infestan. Observe detenidamente sus plantas a principios de primavera, ya que los pulgones se reproducen rápidamente y pueden propagarse a muchas plantas en muy poco tiempo:

■ Elimine esos insectos frotando con un paño o pulverizando con infusión de tanaceto. Así al mismo tiempo evitará que se reproduzcan y se propaguen.

■ Si la infestación es muy grave puede emplear una solución jabonosa: disuelva unos 20 g de jabón en un litro de agua. En casos graves, añada unos 10 cm de alcohol de quemar. Vaya con cuidado, porque esta mezcla también resulta tóxica para muchos organismos útiles.

■ También son muy útiles los preparados comerciales hechos a base de sales de potasio de ácidos grasos naturales, que tienen la ventaja de no ser apenas perjudiciales para los organismos útiles.

Remedios contra los caracoles

Los caracoles resultan especialmente perjudiciales para las plantas jóvenes. En una sola noche pueden destruir todo aquello que hemos tardado en conseguir. Pero estos moluscos terrestres tampoco dejan intactas las plantas grandes, que consumen con avidez.

■ El método más práctico, aunque pesado, sigue siendo recoger los caracoles a mano. Para ello se emplean «cebos» tales como madera podrida, piedras planas o trampas de cerveza.

■ También es importante destruir sus huevos. Si el suelo es de textura fina y sin oquedades no encontrarán escondrijos en los que desovar, por lo que aquellos quedarán a la vista y se podrán eliminar con facilidad.

■ Un buen método para evitar los caracoles es cubrir el suelo con un acolchado a base de caña triturada.

■ Las barreras que se venden en el comercio contra los caracoles son tan eficaces (tienen el borde superior curvado hacia el exterior de forma que no la pueden franquear) como antiestéticas. Actualmente, también existen granulados contra los caracoles que resultan inocuos para los pájaros, los erizos y los animales domésticos, así como para el medio ambiente.

Infestación por hongos

Si las plantas presentan una enfermedad grave (por ejemplo oídio o roya) pulveríceles infusión de equisetos (diluida en proporción 1 a 5) durante tres días consecutivos. Como medida complementaria, efectúe una poda severa eliminando todas las partes afectadas de las plantas. La mayoría de las plantas vuelve a brotar en cuestión de poco tiempo. Actualmente se comercializan fungicidas que no perjudican el medio ambiente, pero infórmese detalladamente sobre su empleo y dosificación. Uno de los métodos más eficaces para prevenir los hongos consiste en el empleo de infusiones y extractos de hierbas (véanse las páginas 66/67) como, por ejemplo, verter extracto de ajo (sin diluir) en la base de las plantas y pulverizarlas cada dos o tres semanas con infusión de equiseto (diluida en proporción 1 a 5). Si durante ese tiempo llueve, pulverice con más frecuencia para compensar el lavado producido por el agua.

69

Tabla de diagnósticos: parásitos y enfermedades

CARACOLES Y BABOSAS

Síntomas: tallos, hojas y plantas enteras mordidas, agujereadas o totalmente destruidas, rastros de mucosidad.
Prevención: estimular la presencia de animales útiles como erizos y luciones; regar las plantas por la mañana; mantener el suelo muy plano; acolchar con caña triturada; usar valla contra caracoles.
Eliminación: recolectar manualmente los caracoles con cebos o trampas de cerveza; emplear un granulado contra caracoles.

PULGONES DE LAS HOJAS

Síntomas: pulgones de color verde claro, oscuro o rojizo en hojas y tallos; tallos tiernos torcidos o atrofiados.
Prevención: estimular la presencia de animales útiles como las mariquitas; utilizar abono equilibrado; abonar con extracto de ortigas.
Eliminación: manualmente; pulverizar con infusión de tanaceto o solución jabonosa.

COCHINILLA

Síntomas: placas redondeadas u ovaladas del tamaño de una cabeza de alfiler y color marrón en hojas y tallos; excrementos pegajosos que suelen estar colonizados por hongos.
Prevención: mantener las plantas en lugar fresco durante el invierno y abonar equilibradamente.
Eliminación: frotar manualmente, pulverizar con agua jabonosa o productos a base de aceite de parafina.

MOSCA BLANCA

Síntomas: daños por succión en las hojas, secreción sobre las hojas que primero es pegajosa y luego se vuelve negra (hongos).
Prevención: mantener el suelo húmedo (regar y acolchar); ventilar bien los invernaderos pequeños.
Eliminación: pulverizar con infusión de tanaceto; en los invernaderos se pueden colgar láminas adhesivas (de venta en centros de jardinería) si la plaga es muy abundante.

PULGONES DE LAS RAÍCES

Síntomas: crecimiento lento; las hojas adquieren un color claro o amarillento; las plantas se atrofian y mueren.
Prevención: regar las plantas con regularidad; estimular su crecimiento regándolas con extracto de ortigas (diluido en proporción 1 a 10).
Eliminación: regar las raíces con infusión de tanaceto; sacar las plantas de las macetas y sumergirlas en la infusión.

OTIORRINCO

Síntomas: mordeduras profundas y semicirculares en las hojas (escarabajo), raíces comidas (larvas).
Prevención: estimular la presencia de animales útiles como los erizos; trasplantar las plantas con frecuencia.
Eliminación: recolectar los escarabajos por la noche; pulverizar infusión de tanaceto sobre las hojas; añadir nematodos (de venta en centros de jardinería) a finales de primavera y a finales de verano-principios de otoño.

Tabla de diagnósticos: parásitos y enfermedades

MARIPOSA DE LA COL	ROYA DE LA MENTA	OÍDIO
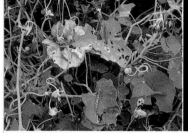		

Síntomas: hojas de capuchina, mostaza y otras plantas similares parcial o totalmente comidas por las orugas.
Prevención: estimular la presencia de animales útiles como la avispa; pulverizar las hojas a partir de finales de primavera con infusión de tanaceto o ajenjo; mantener un cultivo mixto con tomateras y apios.
Eliminación: recolectar las orugas y los huevos a partir de finales de primavera.

Síntomas: tallos engrosados y deformes con pústulas anaranjadas en primavera; las hojas se secan de abajo hacia arriba y caen.
Prevención: cambiar periódicamente la ubicación de la planta; no plantarlas muy próximas entre sí; abonar con infusión de equiseto.
Eliminación: cortar las plantas a ras de suelo; pulverizar la infusión durante varios días consecutivos.

Síntomas: primero aparecen puntos de color blanco grisáceo sobre hojas y tallos que luego se convierten en una cobertura gris.
Prevención: si la infestación es muy frecuente hay que cambiar las plantas o colocarlas en otro lugar; buscar un emplazamiento no demasiado seco; dejar espacio entre las plantas; pulverizar con infusión de equiseto.
Eliminación: cortar las plantas a ras de suelo; pulverizar infusión de equiseto durante varios días consecutivos.

ROYA DEL PUERRO	PIE NEGRO	FALTA DE MAGNESIO
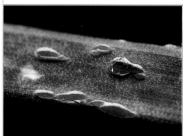		

Síntomas: abundantes manchas pequeñas de color naranja en los tallos; las plantas adquieren un color verde claro, pero no mueren; en otoño vuelven a producir hojas sanas; el hongo hiberna en las plantas.
Prevención: plantar las plantas espaciadas; abonar equilibradamente; eliminar las plantas afectadas en primavera antes de plantar otras nuevas.
Eliminación: no hay remedio aplicable.

Síntomas: zonas rojizas, que luego se oscurecen, en la base del tallo de las plantas recién germinadas que se secan rápidamente; destrucción de toda la planta.
Prevención: emplear solamente semillas sanas; no plantar las matas demasiado juntas; separarlas a tiempo; alternar cultivos, pulverizar con infusión de equiseto.
Eliminación: no hay remedio aplicable.

Síntomas: las hojas viejas se decoloran entre los nervios, primero se ponen amarillas, luego marrones y finalmente se marchitan.
Prevención: comprobar el pH del suelo, ya que los suelos demasiado ácidos suelen ser pobres en magnesio; analizar el suelo.
Eliminación: elevar el pH para que el magnesio sea asimilable; abonar con carbonato cálcico.

> PRÁCTICA

Cómo hacer que las plantas aromáticas resistan bien el invierno

Algunas de las plantas herbáceas que cultivamos en macetas o en el jardín necesitan protección contra el frío y la humedad del invierno, especialmente las especies propias del clima mediterráneo o que necesitan un ambiente seco.

La mayoría de las hierbas perennes toleran bien el invierno aun estando a la intemperie, pero hay algunas especies de las regiones de clima mediterráneo que no soportan las heladas y que hay que guardarlas dentro de casa. Las bienales no toleran en absoluto los inviernos con temperaturas extremas, mientras el perejil y la coclearia seguirán dándonos hojas frescas durante el invierno siempre y cuando no estén cubiertas por un metro de nieve. Muchas plantas anuales, como el eneldo, la albahaca o la capuchina mueren en cuanto la temperatura baja de 0 °C; otras, como la verdolaga, pueden ser recolectadas incluso durante los meses más fríos del año.

Invierno en el jardín

La mayoría de las hierbas perennes de jardín sobreviven perfectamente sin necesidad de protección invernal. Sin embargo, en los lugares con inviernos especialmente crudos es necesario proteger a algunas de las especies más sensibles, como por ejemplo el estragón francés, la siempreviva, la santolina y algunas variedades de tomillo y salvia. Generalmente bastará cubrirlas con ramas de pino o con tela de saco. A finales de invierno hay que retirar las protecciones para que las plantas puedan volver a brotar sin impedimentos.

Protección para las macetas

Las herbáceas cultivadas en macetas están especialmente expuestas al frío. Lo primero que debe hacer es proteger las raíces de las heladas. Aproxime las macetas a la pared de la casa para que así estén más protegidas. Para ello, coloque las macetas sobre un tablón o sobre una plancha de porexpán

1
Envolver las macetas con plástico de burbujas
En los lugares con inviernos no muy duros, el romero puede permanecer a la intemperie si se envuelven las macetas con una hoja de plástico de burbujas para embalajes.

Proteger los brotes
Las hierbas de jardín sensibles a frío, como el estragón francés, s pueden cubrir con tela transpirable, con saco o con ram de pino. Toleran bien el frío, per la vez están así protegidas del viento y del sol invernal.
2

y envuélvalas con arpillera, saco, esteras de paja o plástico de burbujas (foto 1). Si también es necesario proteger la planta propiamente dicha, como en el caso de la vincapervinca, entonces envuélvala holgadamente con una tela transpirable (foto 2). Esto también la protegerá del viento y del sol. Dado que las hojas siguen transpirando pero las raíces no les pueden suministrar agua porque el suelo está congelado, las plantas pueden llegar a sufrir deshidratación. Téngalo en cuenta y riéguelas un poco de vez en cuando.

Hibernación dentro de casa

En cuanto empiecen las primeras heladas habrá que entrar en casa plantas como el laurel, la hierbaluisa, los geranios, la albahaca y todas las variedades de salvia. Si el frío es muy intenso habrá que entrar también el romero. Hay que guardar las plantas en un lugar fresco (5-10 °C) y con buena luz, como por ejemplo en habitaciones o galerías sin calefacción, y regarlas sólo un poco (fotos 4 y 5). Las de hoja perenne (como el laurel y el romero) necesitan algo más de agua. Las demás, como la verbena, pueden invernar prácticamente en seco si la temperatura es de unos 5 °C. Cuanto más calor haga en la habitación, más habrá que regarlas. Por otra parte, muchas hierbas pueden invernar perfectamente en un lugar a oscuras. Antes de guardarlas, pode sus tallos reduciéndolos a la mitad. En primavera, cuando las saque al exterior, corte otra vez los tallos en un tercio para que las plantas vuelvan a brotar bien.

Hierbas frescas en invierno

Si no desea prescindir de sus hierbas frescas durante el invierno, asegúrese el suministro colocando algunas macetas en la repisa interior de una ventana. En otoño, entre directamente las macetas con la albahaca, la ajedrea o los berros y colóquelas en un lugar cálido y con buena luz. Si las cuida bien y las riega con frecuencia, seguirán creciendo perfectamente y usted dispondrá de brotes y hojas frescas para sus ensaladas durante todo el invierno.

Hibernar en cajones
Coloque varias macetas pequeñas en una caja de madera con el fondo cubierto por una capa de bolitas de arcilla, rellene los espacios intermedios con virutas de madera y cúbralo todo con ramas de pino.

Un lugar en la galería
Las herbáceas más sensibles al frío, como la hierbaluisa, puede guardarlas durante el invierno en una galería con buena luz (5-10 °C) o en otro lugar bien iluminado de la casa. Riéguelas una vez al mes.

El hueco de la escalera con luz
Si el hueco de la escalera goza de buena luz, es un buen lugar para guardar durante el invierno las macetas con plantas como el laurel. También en este caso habrá que controlar regularmente la humedad del cepellón y regar de vez en cuando.

> PREGUNTAS Y RESPUESTAS

Sugerencias de los expertos para el cuidado de las herbáceas

Por si las cosas no salen bien vale la pena disponer de un buen asesoramiento. Así resulta más fácil saber cómo regar, abonar, podar e invernar las plantas adecuadamente.

? **Para que mis plantas creciesen mejor, añadí estiércol a la tierra del jardín. Pero ahora enferman. ¿Puede deberse al estiércol?**

El estiércol fresco es muy rico en nutrientes que se encuentran en una forma que las plantas asimilan con gran rapidez. Esto significa que está ofreciendo un exceso de «alimento» a unas plantas que de por sí consumen bastante poco, y no les está sentando bien. Por lo tanto, su aroma pierde intensidad, se desarrollan de forma anormal y son más propensas a enfermar. El estiércol solamente se emplea para abonar algunos cultivos muy «hambrientos» (como los de las hortalizas de crecimiento rápido), y aún así no se esparce directamente sobre los arriates ya plantados sino que se hace compostar durante algún tiempo o se trabaja sobre el suelo un par de semanas antes de plantar. Tenga en cuenta que, además de aportar un exceso de nutrientes a

las plantas, el estiércol también atrae a muchos insectos molestos y perjudiciales que pueden dañarlas y debilitarlas, como por ejemplo la mosca de la cebolla y la mosca de la zanahoria.

? **Las hierbas que tengo en macetas pasan el invierno a la intemperie en la terraza. ¿Con qué frecuencia tengo que regarlas durante el invierno?**

Para esto no hay reglas fijas; lo mejor será que haga la «prueba del dedo». En general, las hierbas que conservan sus hojas durante el invierno, como la lavanda, la salvia y la santolina, necesitan más agua durante los meses invernales que aquellas cuyas partes aéreas se secan y prácticamente desaparecen durante esos meses, como por ejemplo la menta y la bergamota silvestre. En ambos casos es importante que la tierra de la maceta no llegue a secarse por completo, ya que en el jardín también conservaría algo de

humedad. Si extrae el cepellón de la maceta, este deberá conservar la suficiente humedad como para que la tierra no se desprenda de las raíces. Si sus macetas no están bajo techo ni protegidas por un alero del tejado, las precipitaciones invernales en forma de nieve o lluvia suelen ser más que suficientes como para proporcionarles el agua que necesitan. Pero asegúrese de que también la reciban las macetas que estén situadas junto a la fachada de la casa. De lo contrario, riéguelas un poco con la regadera una vez al mes. Y lo mismo deberá hacer si durante varias semanas reina un tiempo frío y seco o si las macetas están expuestas al sol invernal y este contribuye aún más a secarlas. Para que el riego no surta un efecto opuesto al deseado es muy importante que todas las macetas cuenten con una buena capa de drenaje y estén provistas de orificios para la salida del agua residual.

? **¿Tengo que controlar la presencia de parásitos en las macetas que guardo dentro de casa durante el invierno? En caso afirmativo, ¿en qué me tengo que fijar?**

Revise una vez al mes sus plantas de maceta, tanto las que pasan el invierno dentro de casa como las que están en la terraza, en busca de posibles daños por parásitos. Muchos, como por ejemplo los pulgones y las cochinillas, también se aprovechan de los cuidados invernales que les proporcionamos a las plantas y antes de que nos demos cuenta pueden haberlas infestado por completo. Si detecta su presencia a tiempo, generalmente lo mejor es eliminarlos manualmente o cortando inmediatamente las partes más afectadas. Muchos parásitos prefieren un aire seco y estancado, por lo que es importante ventilar con frecuencia el lugar de la casa en el que guardemos las plantas durante el invierno.

? **¿Cómo puedo construir plantillas que me ayuden a podar el laurel para darle forma redonda, piramidal, etc.?**

Las formas más sencillas de realizar son las piramidales y las cónicas. Para una pirámide necesitará cuatro mástiles o cuatro cañas de bambú que clavará en el suelo a la misma distancia de la planta y que atará entre sí por su extremo superior mediante un cordel o alambre. Estas cañas marcarán las aristas de la pirámide; recorte las superficies situadas entre ellas de forma inclinada y lisa hasta el

vértice. Un palo horizontal le ayudará a conseguir que los cuatro lados tengan la misma inclinación. Si quiere darle forma cónica, clave solamente tres cañas y sujételas entre sí por el vértice. Pero ahora tendrá que podar con más cuidado para que la superficie no le salga plana. Vaya girando las cañas para obtener una curvatura uniforme. Para conseguir una esfera se clavan cuatro cañas verticales alrededor de la planta y se unen sus extremos con un cordel o alambre horizontal de modo que se obtenga un cubo. Se poda la planta hasta conseguir lados cuadrados, luego se retiran las cañas y se sigue recortando hasta darle la forma esférica. Las figuras más complejas, como espirales y formas de animales, se realizan con la ayuda de plantillas de alambre que delimiten bien sus bordes. Incluso existen plantillas comerciales para facilitar el trabajo. Este tipo de trabajos no deben realizarse antes de finales de primavera ni después de finales de verano-principios de otoño. Según la velocidad a la que crezca la planta puede ser necesario echar mano a la tijera de dos a cuatro veces al año.

? **Mi lavanda se ha hecho muy grande, la parte inferior es leñosa y poco poblada. Sólo tiene flores y brotes tiernos en el tercio superior. ¿Qué puedo hacer para que recupere su belleza?**

Córtela por lo menos a la mitad o hasta dejar sólo un tercio, preferiblemente en primavera poco

antes de que empiece a brotar a mediados de estación. Si ya ha pasado ese momento, sométala a una poda severa después de la floración. Incluso por segunda vez. Pero no elimine todas las partes verdes hasta el punto de dejar solamente la parte leñosa, ya que entonces la planta se moriría. Cuando su lavanda ya haya recuperado la forma bastará con que la someta a una poda de mantenimiento cada dos o tres años.

? **Me gustaría plantar herbáceas en un arriate en el que antes había tenido hortalizas. ¿He de preparar el suelo de alguna forma especial?**

Muchas hortalizas absorben una gran cantidad de nutrientes del suelo, por ello lo mejor será que empiece por someter el arriate a una cura de recuperación y siembre en él plantas de transición, como por ejemplo altramuces. Estas plantas reestructurarán el suelo a la vez que le darán vida. Lo mejor es sembrar estas plantas en primavera y dejar que crezcan hasta otoño, entonces las trocea bien y las mezcla con la tierra. Ahora ya puede sembrar y plantar las herbáceas. También puede sembrar estas plantas de transición a finales de temporada, dejarlas en el arriate durante el invierno, retirarlas en primavera y plantar entonces las herbáceas. Pero no siembre herbáceas de la misma familia que las hortalizas que había antes, como por ejemplo perejil después de zanahorias, ya que podrían surgir incompatibilidades y problemas de desarrollo.

Recolectar las hierbas y disfrutar de ellas

Ha llegado el momento de disfrutar de nuestros esfuerzos con las plantas. Los buenos gastrónomos saben cuál es el verdadero valor de las plantas aromáticas como condimento para la buena mesa. Con ellas también podemos realizar saludables esencias o sumergirnos en un baño aromático y reconfortante.

Durante el verano, el aficionado a las plantas herbáceas siempre disfrutará recorriendo su jardín con un cesto y una tijera. Encontrará sabrosos ingredientes para sus ensaladas, así como flores aromáticas que luego podrá secar.

Aroma en estado puro

Las hojas y los brotes de muchas hierbas desprenden un aroma mucho más intenso antes de empezar a florecer. Pero otras, como la artemisa, necesitan algo más de paciencia ya que se recolectan cuando las flores empiezan a abrirse. Por lo tanto, recoja cada planta en el momento adecuado. Además, según la planta de que se trate, aprovechará sus hojas, sus flores, o incluso la planta entera. La parte a recolectar depende tanto de la planta como de la finalidad que le piense dar. Si no las va a consumir completamente en seguida, puede secar o conservar sus hierbas. Así dispondrá de una reserva para el invierno.

Las hierbas desde otro punto de vista

Las hierbas pueden servir para mucho más que dar una nota de color en sus ensaladas o condimentar las sopas. Muchas veces nos maravillamos ante sus flores porque son bonitas como adorno, pero… ¿comerlas? Pruebe la mantequilla de flores, o añada algunas flores a las ensaladas o a la verdura al vapor. Las flores de capuchina, caléndula o salvia poseen un sabor muy característico y añaden un punto muy agradable a algunos platos. También vale la pena conservar los aromas de estas flores y hojas en aceite o en vinagre para disfrutar de sus connotaciones estivales en la cocina durante todo el año. Una copita de licor de hierbas o un relajante baño aromático le compensarán con creces de todo su trabajo en el jardín.

> *Las hierbas en aceite o en vinagre conservan su aroma durante mucho tiempo y son un refinamiento para las ensaladas. Además, las botellas pueden ser muy decorativas.*

> PRÁCTICA

Época de recolección de plantas aromáticas frescas

Disfrute de la belleza de sus plantas desde la primavera hasta el otoño. Competirán en aromas desde sus macetas y arriates esperando que usted las recoja.

Al igual que sucede con casi todos los trabajos del jardín, la recolección también debe realizarse en el momento preciso. Las hierbas que usted desee emplear para condimentar o cocinar, o incluso para conservar, deberán ser lo más aromáticas posible. La época de la recolección empieza en cuanto maduran los brotes nuevos, cosa que en la mayoría de los casos suele suceder entre mediados y finales de primavera.

Época de cosecha en la plantación de hierbas

Lo ideal es realizar la recolección un día seco y caluroso y aprovechando las últimas horas de la mañana, cuando las plantas ya se han secado completamente del rocío de la noche.

Más sol significa más aroma

Si las hierbas van a consumirse principalmente frescas, no siempre será posible afinar tanto con el tiempo y la hora del día. Recuerde que los días cubiertos o lluviosos las plantas procuran menos compuestos aromáticos y que, por lo tanto, hay que emplearlas en mayor cantidad. Por esto es aconsejable disponer de macetas situadas en lugares especialmente cálidos y resguardados. El calor, el sol y el ambiente seco les permiten desarrollar todo su sabor.

Cómo realizar la recolección

Para evitar aplastar los tallos de las plantas, hay que recolectarlas con un cuchillo bien afilado, una tijera multiuso o una para hierbas (foto 1). Lo mejor es proceder de esta forma:

- En las plantas densas y no leñosas, como la menta, la melisa o la aspérula olorosa se cortan tallos enteros a ras de suelo. Así, al mismo tiempo se aclara la planta y se la estimula a volver a brotar con fuerza.
- En las plantas de un sólo tallo, como el eneldo, el perifollo, el cilantro o la albahaca, se cortan solamente las hojas o los extremos del tallo (foto 2). Al despuntar el tallo se provoca su ramificación, que, a

---

Información

HIERBAS CON FLORES DELICADAS

¿Le gustaría ver «florecer» los aromas y colores de las hierbas en platos soperos y fuentes de ensalada? Estas son las mejores épocas para recolectar las principales flores:

- Borraja: verano.
- Caléndula: verano-otoño.
- Bergamota silvestre: verano.
- Tagetes: verano-otoño.
- Capuchina: verano-otoño.

su vez, prolonga la época de recolección.

- En las plantas leñosas como la lavanda, la salvia, el romero o el tomillo (foto 3) también se aprovechan solamente los extremos de los tallos. Las plantas vuelven a brotar con fuerza y crecen compactas.
- Para condimentar, guisar o aromatizar suelen emplearse principalmente hojas, brotes o incluso tallos enteros. Su contenido en sustancias aromáticas es mayor antes de la floración, por lo que habrá que recolectar antes de que la planta empiece a florecer.
- En las plantas con flores, la mayoría de los compuestos aromáticos se encuentran en estas, como sucede con la salvia, el tomillo, el romero, la mejorana y la albahaca. De estas plantas se pueden emplear tanto las hojas como las flores.
- Para las recetas con flores, tanto para la cocina como para la elaboración de cosméticos, solamente se recogen las flores. Preferiblemente cuando acaban de florecer y están secas.

Elementos prácticos

Cuando vaya a recoger hierbas lleve un cesto de alambre o de mimbre en el que pueda colocar holgadamente hojas, tallos y flores. Clasifique las hierbas inmediatamente después de recogerlas y cúbralas con un paño de cocina húmedo para evitar que se sequen y así conservarlas frescas hasta el momento de emplearlas.

Herramientas afiladas
Emplee siempre tijeras y cuchillos bien afilados. Lo mejor es cortar ligeramente por encima de un par de hojas, de cuyas axilas surgirán los nuevos brotes.

Arrancar hojitas
Arranque de los tallos principales las hojitas que desee usar. Los tallos de algunas plantas son demasiado duros como para poderlos consumir.

Lavar las hierbas
Lave las hojas y tallos bajo el grifo para eliminar los restos de tierra y suciedad. Lave con especial cuidado las hojas densas, como por ejemplo las del perejil.

Dejar secar
Deje las hierbas recién lavadas sobre un paño de cocina hasta que estén bien secas. Nunca hay que emplearlas húmedas o mojadas.

Del jardín a la mesa

Si siempre dispone de una buena provisión de plantas aromáticas en el jardín o en macetas, podrá disfrutar de ellas para cocinar, condimentar o decorar a sus anchas. Puede emplear todo aquello que sea aromático.

Las hojas y flores de las plantas aromáticas le permitirán dar más vida a sus platos y deleitarse probando nuevas especialidades culinarias.

Verdes condimentos

El empleo de hierbas frescas le permitirá dar un toque

Esta ensalada de verano con flores multicolores resulta tan agradable a la vista como al paladar. ¡Buen provecho!

definitivo a las ensaladas, a la carne a la brasa y a los postres de fruta. Empleando los mismos ingredientes, se puede cambiar por completo el sabor de una ensalada simplemente condimentándola con unas hierbas u otras. Así, por ejemplo, una ensalada de tomate puede adquirir una nota especiada de ajo, el aroma mediterráneo de la albahaca o el frescor de la melisa. Pero las hierbas no sirven solamente para condimentar ensaladas, por ejemplo, la verbena, la menta y la aspérula olorosa también proporcionan un toque muy agradable a los postres dulces y a las ensaladas de frutas. Las cremas, sopas, tortillas, suflés, salsas y purés también pueden enriquecerse con hierbas silvestres, como por ejemplo el requesón de ajo de oso, la sopa de acedera o la salsa de ortigas.

Flores comestibles

Las flores de la mayoría de las hierbas con hojas y tallos de uso culinario también pueden

servir para guisar o condimentar. Así, por ejemplo, las florecillas del cebollino y el ajo de oso pueden emplearse para obtener unas excelentes tortillas o huevos revueltos, las flores del tomillo y el orégano son un buen condimento para las pizzas y platos de pasta, y el pescado resulta más sabroso si se condimenta con las de hisopo, eneldo o hinojo. Las flores de hinojo son un buen condimento para los tomates al horno y la sopa de tomate; las de romero y salvia mejoran el aroma del asado de cordero y también combinan muy bien con las patatas al horno. Las flores de capuchina dan una nota ligeramente especiada a las verduras salteadas, mientras que las florecillas rojas o anaranjadas de la bergamota silvestre combinan estupendamente con el arroz integral. El aroma dulzón de la lavanda proporciona resultados sorprendentes al combinarlo con el pollo o con los postres de fruta o de requesón, aunque al principio puede resultar un poco extraño.

Mantequilla de hierbas

La mantequilla de hierbas es un apetitoso bocado en cualquier bufé frío o comida de verano. Para su elaboración necesitará hierbas muy finamente picadas, como por ejemplo perejil, cebollino, tomillo, orégano, albahaca, salvia o hisopo, así como las flores de caléndula, tagetes, lavanda, salvia, mejorana o bergamota silvestre. Para un trozo de mantequilla de 250 g

Para hacer el pesto se pueden emplear otras hierbas además de la albahaca. Pruébelo alguna vez con hierbas silvestres.

necesitará un buen puñado de hierbas y flores bien lavadas y escurridas. Píquelas bien y mézclelas con la mantequilla ablandada a temperatura ambiente, añádale sal al gusto, haga rollitos o bolas y déjelas en la nevera durante la noche para que la mantequilla recobre su consistencia. Esta mantequilla resulta especialmente decorativa si se emplean moldes para darle forma o se sirve en recipientes de madera.

Un dulce placer

Con las hojas de menta y de melisa se pueden preparar unos dulces muy peculiares. Para ello, lave bien las hojas y sumérjalas en chocolate líquido o en cobertura de chocolate. Déjelas secar sobre papel encerado y empléelas para decorar pasteles, tartas y helados.

Los geranios aromáticos también le permiten realizar una agradable sorpresa. Cuando prepare la base para una tarta o un bizcocho, cubra primero el papel de hornear con una capa de hojas de geranio secas y extienda luego la masa cuidadosamente sobre ellas. Cuando saque la torta del horno, retire el papel con las hojas. Su aroma habrá pasado a la masa.

Bebidas de hierbas

Las hierbas de su jardín o sus macetas también le permitirán dar una nota agradable a las infusiones, refrescos, batidos y combinados: añada a sus aperitivos menta, melisa, aspérula olorosa o una hojita de ajenjo; la borraja y la menta piperita combinan estupendamente con los batidos y los yogures. En los días calurosos resulta muy agradable beber una infusión de menta, hierbaluisa o bergamota silvestre bien fría con zumo de manzana y unas rodajitas de limón.

CÓMO PREPARAR BIEN LAS FLORES

Si va a emplear flores para decorar la ensalada o para preparar una excelente mantequilla de flores, tenga la precaución de empezar por limpiarlas de toda la fauna de insectos y arácnidos que suele poblarlas. Para ello, cubra las flores con papel de periódico. Así todos estos animalitos las abandonarán rápidamente e irán hacia la luz.

> PRÁCTICA

Cómo conservar y preservar las hierbas

Conservar o secar las hierbas frescas le permitirá tenerlas siempre a mano y seguir disfrutando de sus sabores y aromas durante todo el año.

Las hierbas secas y conservadas nos permiten prolongar su temporada durante todo el año. Así podrá utilizar durante bastante tiempo las plantas recolectadas y disfrutar de su aroma y su sabor.

Cómo secar correctamente las hierbas

El secado de hierbas al aire es un método de conservación muy tradicional.

- Extienda las hierbas recién recolectadas sobre paños grandes (o bandejas del horno) y déjelas durante algunos días en un lugar soleado, caluroso y bien ventilado. También puede colgarlas en manojos boca abajo (foto 1).
- Las hierbas no deberán estar a pleno sol ni expuestas a las corrientes de aire.
- Puede realizar un «secado rápido» en el horno de la cocina, pero dejando la puerta un poco abierta. La temperatura no deberá superar los 35 °C.
- Se pueden secar todas las hierbas para hacer infusiones, así como algunas aromáticas como el orégano, el romero, la mejorana, la salvia, el tomillo, el eneldo, el laurel, el cilantro, la ajedrea o la albahaca.

Refinamientos con hierbas secas

- Para preparar una combinación de hierbas mediterráneas, mezcle a partes iguales tomillo, melisa, orégano y romero (empleando siempre que sea posible hojas y flores secas) con una parte de flores de salvia.
- Para preparar una excelente sal de hierbas, ponga cuatro partes de hierbas secas en un mortero, tritúrelas bien y mézclelas con una parte de sal.
- Las hierbas secas también le permitirán preparar unas infusiones tan buenas como saludables (véanse las páginas 84/85).

Hierbas congeladas

Algunas hierbas, como perejil, levístico, pimpinela, cebollino, perifollo o berro pierden rápidamente su aroma al secarse o se descomponen reduciéndose a polvo. Pero se pueden conservar bien durante meses si se congelan y se mantienen tan frescas como si acabásemos de recogerlas del jardín.
Congele juntas varias hierbas previamente picadas y colocadas en envases para el congelador de forma que luego

---

Información

CÓMO PREPARAR UN EXCELENTE PESTO DE ALBAHACA

Ingredientes:

2 puñados de albahaca

1 diente de ajo

1 cucharada de piñones

5 cucharadas de queso parmesano recién rallado

sal y pimienta

6-8 cucharadas de aceite de oliva

Preparación:

Trocee los ingredientes y mézclelos en la batidora hasta obtener una masa cremosa. Llene pequeños frascos de cristal y cubra la superficie con aceite de oliva. Estos frascos se pueden conservar en la nevera hasta tres o cuatro semanas.

Hierbas secas
Cuelgue los manojos de hierbas en un lugar cálido y bien iluminado. Al cabo de dos o tres semanas ya estarán lo suficientemente secas como para poder emplearlas.

Hierbas congeladas
Resulta muy práctico congelar las hierbas en pequeñas raciones, tanto en frascos como en bandejas para cubitos de hielo, y disponer de ellas durante todo el año.

Hierbas aromatizantes
Filtre el aceite aromático al cabo de tres a cinco semanas, llene botellas con él y guárdelas en un lugar oscuro y fresco.

ya tenga las combinaciones necesarias para determinados platos, como por ejemplo levístico, perejil y pimpinela para una sopa (foto 2).

Conservas en vinagre y aceite

Las hierbas proporcionan un aroma peculiar al vinagre y al aceite.
- Lo ideal es emplear botellas de cristal opaco y cierre hermético, así su contenido está mejor protegido de la luz solar.
- Lave bien las hierbas a emplear.
- Llene las botellas con vinagre o aceite y déjelas reposar de tres a cinco semanas.
- Vacíelas pasado ese tiempo y guarde el contenido en un lugar fresco y oscuro.

Las hierbas maceradas en aceite tales como el estragón, el laurel, la lavanda y la capuchina, así como las flores de las violetas, proporcionan un toque muy delicado a las ensaladas. Emplee un vinagre con un contenido ácido de por lo menos el 4%. Lo mejor es usar un buen vinagre de vino blanco. Una especialidad son los capullos de flores de capuchina y diente de león en vinagre. Los capullos de chirivita pueden ser un buen sustituto de las alcaparras.
También se pueden preparar excelentes aceites aromáticos con las hierbas y sus flores, como por ejemplo las de ajo, ajo de oso, albahaca, romero, tomillo, salvia, orégano, melisa o menta piperita. Como base se emplea un aceite de oliva prensado en frío de primera calidad.

Licor de hierbas casero

¡Sorprenda a sus invitados con un licor casero de melisa, menta o lavanda!
Así es como se hace:
- Llene dos tercios de una botella ancha con la hierba elegida.
- Vierta el vodka o aguardiente necesario para cubrir por completo las hierbas.
- Deje la botella durante cinco o seis semanas en un lugar soleado y con buena luz. Pasado ese tiempo, filtre su contenido.
- Añada agua azucarada a su gusto hasta que le satisfaga el sabor.
- Deje reposar el licor en un lugar fresco; cuanto más tiempo pase, mejor será.

El bienestar que nos llega del jardín

Lo mejor de las hierbas es su polivalencia, es decir, la cantidad de usos que podemos darles. Empleadas en el baño, en cremas o como aceites corporales proporcionan una gran relajación, cuidan la salud y contribuyen al bienestar general.

En efecto, las hierbas medicinales se vienen empleando desde hace milenios, y además de sus virtudes culinarias y aromáticas, muchas hierbas tienen también propiedades curativas. También se emplean desde la antigüedad en la elaboración de preparados para cuidar la belleza y el bienestar de las personas. Con unas pocas hierbas de su jardín ya podrá preparar fácilmente algunas recetas, nuevas o redescubiertas, para mejorar su bienestar.

Una infusión para cada caso

Las infusiones de hierbas son el método más habitual y conocido para disfrutar de sus propiedades curativas. Se pueden preparar tanto con hierbas frescas como con hierbas secas. Sólo hay que verterles agua muy caliente, dejarlas reposar brevemente y ¡listo! Las hierbas medicinales producen los siguientes efectos:
- Tranquilizante y relajante: melisa, menta piperita y lavanda.
- Desinfectante y alivio de calambres: manzanilla, manto de dama y menta piperita.
- Alivio de resfriados: tomillo, salvia, llantén menor y gordolobo.
- Alivio de dolores de estómago y de vientre: comino, hinojo, eneldo y ajenjo.

- Refrescante y tonificante: todas las hierbas con aroma de limón (melisa, hierba limón, hierbaluisa), bergamota silvestre y diversas mentas afrutadas.

Hierbas en la bañera

Para prepararse un baño tonificante con hierbas necesitará 250-500 g de hierbas secas (o la mitad de esa cantidad si son hierbas frescas). Viértales agua hirviendo por encima y déjalas reposar unos cinco minutos. Finalmente, cuele el agua de hierbas y viértala en el agua de la bañera. Efectos de los baños con hierbas:
- El baño con caléndulas o manzanilla cuida y alisa la piel.
- La lavanda y el geranio aromático producen un efecto relajante y tranquilizante en las personas afectadas por el estrés.
- El baño con tomillo o samarilla ayuda a destapar la nariz y permite volver a respirar con normalidad en casos de resfriado.
- Cuando se tienen los pies fríos, un baño de romero o artemisa ayuda a revitalizarlos.

Aceites corporales y aceites de baño

El efecto curativo de las hierbas todavía se concentra más en extractos oleosos que se emplean para masajes, fricciones y baños. Con caléndula, manzanilla, hierba de San Juan y milenrama se pueden preparar aceites de

Una infusión de hierbas del jardín nos proporcionará relajación y bienestar.

La hierba de San Juan es solamente una de las muchas plantas que resultan tan saludables para el cuerpo como para la mente. Sus flores amarillas son especialmente agradables sobre la cama.

hierbas para cuidar la piel y curar las heridas. Los extractos de romero, hierba de San Juan y artemisa también alivian los calambres musculares. El de samarilla alivia y alisa la piel irritada.

Su preparación es muy sencilla:

- Ponga hierbas frescas y secas en un frasco transparente con tapa de rosca.
- Llénelo con aceite de oliva prensado en frío hasta que todas las hierbas queden cubiertas.
- Cierre bien el frasco y déjelo al sol durante unas seis semanas.
- Filtre el aceite a través de un paño de lino y viértalo en una botella oscura. Este aceite se conserva durante aproximadamente un año.

Un clásico: la pomada de caléndula

A partir de las flores amarillas y anaranjadas de la caléndula se obtiene una pomada que es un remedio casero tan antiguo como popular. Se emplea para aliviar heridas, erosiones, manos agrietadas, labios cortados, insolaciones e irritaciones de la piel.

Para su preparación hay que emplear aceite de oliva prensado en frío:

- Caliente en un cazo 100 ml de aceite y 10 g de flores removiendo constantemente hasta que empiecen a salir las primeras burbujas. Siga removiendo durante treinta minutos más.
- Cuele las hierbas con un colador, vuelva a calentar el aceite y añádale 10 g de bolitas de cera de abeja (de venta en farmacias).
- Cuando se haya fundido la cera, saque el cazo del fuego y siga removiendo hasta que la mezcla esté tibia. Mientras remueve puede añadir algunas gotas de aceite esencial para perfumarla.
- Vierta la mezcla en frascos de vidrio bien limpios, cúbralos con un paño de cocina y déjelos enfriar. Una vez fríos, ciérrelos y guárdelos en un lugar fresco. La pomada se conserva durante un año.

>PREGUNTAS Y RESPUESTAS

Sugerencias de los expertos para la recolección de plantas aromáticas

A pesar de que las hierbas no suelen estar disponibles durante todo el año, existen diversos métodos que nos permiten conservar su aroma fresco durante mucho tiempo. Para poder disfrutar de las hierbas es muy importante saber cómo tratarlas.

? Tengo una maceta con albahaca. ¿Volverá a crecer si corto los tallos por completo?

Si corta los tallos de la albahaca muy abajo lo más probable es que la planta no vuelva a crecer, ya que se trata de una especie anual y no forma rizomas permanentes como, por ejemplo, los de la menta. Al no disponer de estos no puede volver a brotar. Para recolectar la albahaca lo mejor es cortar los extremos de los tallos con algunas hojitas, a ser posible justo por encima de un par de hojas. Así la planta volverá a brotar a partir de las axilas de estas y se ramificará. Procediendo de este modo podrá disponer de albahaca durante todo el verano.

? ¿Todo el mundo tolera bien los alimentos condimentados con flores de hierbas?, ¿los alérgicos pueden tener problemas?

Si se trata de una persona alérgica al polen, tenga cuidado con lo que le pone en el plato. Especialmente si se trata de hierbas frescas del jardín. Es sabido que muchos alérgicos reaccionan de forma especialmente virulenta ante las flores de la familia Asteraceae, como por ejemplo las de la caléndula. Si a pesar de todo desea hacer la prueba con flores, emplee solamente los pétalos limpios y elimine otras partes (estambres, pistilo, etc.) en las que pueda haber polen, que es el desencadenante de las alergias.

? Mi ajo de oso empieza a florecer a finales de primavera. En ese momento, ¿es posible que las hojas tengan mal sabor o incluso que sean tóxicas?

Cuando el ajo de oso empieza a florecer, la mayor parte de las sustancias responsables de su sabor pasan de las hojas a las flores. A medida que va avanzando la floración, las hojas son cada vez menos aromáticas. Las hojas tiernas de estas plantas todavía se pueden usar, aunque ya no es época de recoger grandes cantidades. Pero de ningún modo son tóxicas o perjudiciales. Lo único que sucede es que ya no son tan tiernas ni tienen tanto sabor. Lo mejor que puede hacer es cortar un par de flores y yemas y emplearlas como condimento. ¡Va igual de bien!

? En mi jardín tengo un hinojo. ¿Qué partes de la planta

puedo aprovechar, y cómo las recojo?

El hinojo se emplea tradicionalmente como planta curativa. Con sus semillas secas se prepara una infusión para curar los dolores de estómago y las flatulencias. Las semillas se recogen a finales de verano, en cuanto empiezan a ponerse marrones. Dado que el hinojo es una planta grande, con una gran masa de hojas y unas bonitas inflorescencias, también se pueden aprovechar estas partes desde la primavera hasta el otoño. Las hojas frescas, con su aroma a anís, son ideales para condimentar el pescado; las flores se pueden utilizar para decorar las sopas de pescado o las verduras de verano.

[?] **Hace unas tres semanas empecé a preparar un aceite con hierba de San Juan. Pero el aceite no adquiere su color rojo característico, ¿qué ha sucedido?**

Para preparar aceite de hierba de San Juan se emplean principalmente las flores y yemas de esa planta. Estas contienen un compuesto que tiñe el aceite de rojo en cuestión de pocos días. A lo mejor usted ha empleado más hojas que flores. Asegúrese también de haber utilizado realmente esa planta (véase la descripción en la página 106). Existen algunas especies muy similares a la hierba de San Juan verdadera, y su efecto no es el mismo.

El aceite con hierba de San Juan hay que dejarlo durante cinco o seis semanas en un lugar muy soleado, y también es importante que las plantas hayan estado un tiempo a pleno sol antes de recolectarlas y que se hayan «cargado» de sol y calor. En los años lluviosos puede suceder que algunas sustancias de la planta se hayan «aguado» y ya no puedan proporcionarle el color rojo al aceite. Si es así, el aceite será de menor calidad y probablemente no tendrá las propiedades curativas que habitualmente se le atribuyen.

[?] **¿Existe alguna variedad de menta que vaya especialmente bien para preparar infusiones con las hojas frescas, es decir, sin necesidad de secarlas antes?**

Existe una gran cantidad de variedades de menta, por lo que elegir la que mejor vaya para preparar infusiones es algo que depende mucho del gusto de cada uno. En principio, las más recomendables son las variedades de menta piperita (véase la descripción en la página 108). Al menos, esas son las que suelen emplearse para la preparación del excelente té a la menta que se consume en muchos países árabes. Para una tetera basta con tres a cinco ramitas de menta. Se vierte el agua hirviendo por encima de ellas del mismo modo que con las hojas secas del té. Si se emplean hojas frescas, la infusión tarda unos diez o quince minutos en estar lista.

[?] **A mi planta de melisa le han salido puntos y manchas marrones en las hojas. ¿Puedo**

seguir empleándolas para hacer infusiones?

Es probable que su melisa tenga una enfermedad causada por hongos. No emplee esas hojas y demás partes afectadas de la planta para hacer infusiones ni para guisar ni condimentar. En la cocina solamente hay que emplear material vegetal que esté en perfectas condiciones. Corte las partes afectadas de la planta y elimínelas (¡no las emplee para hacer compost!). Coja un puñado de tallos que no estén muy afectados y empléelos para darse un relajante baño después del duro trabajo en el jardín.

[?] **He cortado y secado algunas hojas de llantén menor. Se han puesto completamente negras. ¿Puedo usarlas para algo?**

Las hojas del llantén menor tienen unas fibras vegetales muy viscosas que contienen mucha agua. Hay que secarlas de forma muy cuidadosa, dejándolas bien extendidas y nunca unas encima de otras. Asegúrese de que durante el proceso de secado no queden nunca expuestas a pleno sol. También es importante dejar que se sequen durante bastante tiempo antes de guardarlas en frascos o bolsitas. El elevado contenido en agua y fluidos de las hojas hace que si no están bien secas se desarrollen unos procesos de descomposición que liberan sustancias que las tiñen de negro. Las hojas que se ponen negras ya no se deben emplear para nada, hay que tirarlas y recoger otras nuevas.

¿Qué hacer si ...

... la planta de menta del arriate crece cada vez más e inhibe a las otras hierbas?

Causa:

El suelo en el que crece la menta es demasiado húmedo y rico en nutrientes.

> Solución:

La menta no hay que plantarla en suelos demasiado húmedos y ricos, ya que en estos se desarrolla de forma «explosiva». Pódela periódicamente para mantenerla a raya, aun cuando no pueda aprovechar las partes eliminadas. De lo contrario, los tallos rastreros de la menta no dejarán de crecer y echar raíces colonizando metro a metro todo el arriate e inhibiendo el desarrollo de las demás plantas. Un buen método para evitar que se extienda en exceso es este: coloque la menta en una maceta de arcilla de buen tamaño y plántela en el arriate con maceta y todo. El borde superior de la maceta deberá quedar a ras de suelo. Otra posibilidad es empobrecer el suelo, para lo cual se echan cuatro o seis paladas de arena en el hoyo cavado para plantar la menta.

... el ajo de oso crece junto al lirio de los valles, que es tóxico, y hay riesgo de confusión?

Causa:

El ajo de oso y el lirio de los valles tienen unas hojas muy parecidas.

> Solución:

Lo más seguro es hacer la prueba del olor. En el ajo de oso, toda la planta –especialmente al rallarla o trocearla– emana un intenso olor a ajo: sus hojas, flores y bulbos huelen inconfundiblemente a ajo. Además, en el ajo de oso crece una única hoja de cada pecíolo que sale del suelo, mientras que en el lirio de los valles crecen dos. Si arranca cuidadosamente la planta, en el ajo de oso encontrará un bulbo, mientras el lirio de los valles tiene una densa masa de raíces con las puntas blancas.

... la albahaca tiene un aspecto raquítico y apenas crece?

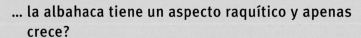

Causa:

El medio es demasiado frío para la albahaca y el sustrato es demasiado húmedo..

> Solución:

La albahaca procede originalmente de Asia y necesita mucho calor. Los veranos frescos y húmedos de Europa central resultan demasiado fríos para muchas variedades de esta planta, como por ejemplo la albahaca tailandesa. La albahaca crece mejor en macetas que en el jardín, ya que así también resulta más fácil protegerla del frío y de las lluvias.

.. las hierbas que han pasado el invierno dentro de casa producen muchos tallos largos, delgados y débiles, o pierden las hojas?

Causa:

Hay hierbas que toleran mal el frío extremo y necesitan invernar dentro de casa, como el romero, el laurel y la hierbaluisa.

› Solución:

Hay que guardarlas en un lugar protegido de la heladas (a unos 5 °C, nunca a más de 10 °C) y preferiblemente con buena luz. Lo ideal es tenerlas junto a una ventana en una habitación sin calefacción, como por ejemplo una galería. Generalmente, en la mayoría de nuestras casas hace demasiado calor y al mismo tiempo no hay bastante luz. Entonces, las plantas que deberían invernar producen unos tallos delgados y débiles a la vez que pálidos por la falta de luz.

Este desarrollo anómalo debilita a las plantas y las convierte en presa fácil para parásitos tales como los pulgones. Elimine estos tallos invernales, coloque la maceta en un lugar más frío, modere aún más el riego y revise las plantas en busca de posibles parásitos. Si las plantas que están invernando se desprenden de sus hojas, es muy probable que el ambiente en el que están resulte demasiado oscuro para ellas, aunque esto no supone ningún problema para las plantas que solamente tienen hojas en verano, como por ejemplo el geranio aromático y la hierbaluisa. Pueden invernar perfectamente a oscuras (pero a unos 5 °C) y en primavera, cuando vuelven a tener mucha luz, brotan de nuevo

tras la poda de rejuvenecimiento. Pero las plantas de hoja perenne, como el romero y el laurel, necesitan un lugar con buena luz. Si estas plantas llegan a perder todas sus hojas, después de la poda pueden tardar semanas e incluso meses en recuperar un aspecto medianamente atractivo. Si no dispone de espacio para tener sus plantas dentro de casa durante el invierno, pregunte en el centro de jardinería más próximo. Lo más probable es que pagando una módica cantidad pueda guardarlas en uno de sus invernaderos. Además, al estar en manos de profesionales, se las cuidarán perfectamente hasta que usted pase a recogerlas en primavera para seguir disfrutando de ellas en su jardín o terraza.

. las hierbas no llegan a germinar?

Causa:

Las semillas no eran bastante frescas.

› Solución:

Las semillas de las hierbas no tardan en perder su capacidad para germinar. Por lo tanto, siempre hay que emplear semillas muy frescas. Algunas hierbas tardan bastante en germinar, como por ejemplo el perejil, con el que se puede llegar a esperar de cinco a seis semanas hasta que hayan germinado todas las semillas. Otras, como el berro, germinan en cuestión de pocos días. Procure mantener sus

sembrados con una humedad uniforme hasta que hayan germinado aproximadamente el 80% de las semillas. En ningún caso deben llegar a secarse durante este tiempo. A veces resulta muy útil «marcar» la siembra con rábano: cuando plante sus hierbas, siembre una semilla de rábano en cada una de las hileras de semillas. El rábano germina en poco tiempo y le indicará el lugar en el que hay que regar para que las hierbas también empiecen a tener hojitas verdes. Una vez se aprecien claramente las hierbas, retire simplemente los rábanos.

Especies

¿Cuáles son los principales grupos de plantas aromáticas?

En las siguientes páginas de esta guía veremos algunas de las principales especies de hierbas que se pueden cultivar fácilmente en el jardín.

Tanto si se compran en un centro de jardinería, en un mercadillo o en viveros especializados, la popularidad de estas plantas es tan grande que resulta muy fácil encontrar una buena diversidad de especies. Las especies y variedades más raras resultan más fáciles de conseguir comprando semillas en viveros especializados. De algunas

hierbas, como la salvia, la menta o los geranios, existe tal cantidad de especies y variedades que generalmente se les dedican catálogos aparte. Entreténgase en buscar en catálogos, revistas especializadas e Internet. Seguro que encontrará algo interesante.

Clasificación de las descripciones de especies

■ El primer grupo de descripciones (véanse las páginas 94/101) incluye especies anuales y bienales, es decir, que hay que sembrarlas de nuevo cada año o cada dos años.
■ El segundo grupo (véanse las páginas 102/113) incluye especies vivaces. Son plantas semiarbustivas, hierbas silvestres y plantas de clima mediterráneo que necesitan calor.

Datos que se incluyen en cada descripción

Para facilitar su lectura, la

descripción de cada planta se divide de este modo:
■ El nombre común en castellano, por ejemplo salvia, va seguido del nombre científico vigente en la actualidad, por ejemplo *Salvia officinalis*. Este último es el nombre que suele figurar en las etiquetas de las plantas, en los catálogos, en las listas de precios de semillas y en los libros. Si el nombre científico va seguido de un nombre entre comillas latinas, se trata de la variedad. Por ejemplo, *Salvia officinalis* «Tricolor», es una variedad de salvia con hojas de color blanco, púrpura y gris.
■ Las especies se agrupan en géneros, y estos en familias. Sus nombres nos permiten hacernos una primera idea de cómo será la planta.
■ Los datos sobre la altura y la amplitud nos indican el espacio que necesita la planta y nos ayudan a planificar su plantación en arriates, macetas y jardineras. Los datos indicados corresponden a valores medios que pueden oscilar notablemente en función de la variedad, la ubicación y las características del suelo.
■ A continuación se indica la época de la recolección, pero esta también puede variar bastante según la región y el clima.
■ Su ciclo vital nos indicará si se trata de una planta anual, bienal o vivaz.
■ Los símbolos nos dan a conocer de un vistazo cuáles son las necesidades de la planta

Las hierbas anuales, como la manzanilla y la borraja, se reproducen por semillas y vuelven a aparecer cada año.

Las hierbas anuales, como la manzanilla y la borraja, se reproducen por semillas y vuelven a aparecer cada año.

y cuáles son las mejores formas de conservarla. También se indican algunas de sus peculiaridades más destacables; como, por ejemplo, flores atractivas, origen...

■ También se indican algunas características notables de la planta o recomendaciones específicas para su cultivo.

Texto de las descripciones

Aspecto: características propias de la planta, como morfología, forma y colorido de hojas y flores, y olor.

Suelo: tipo de suelo y preparación del sustrato ideal para que crezcan en macetas.

Cultivo/cuidados: indicaciones sobre la reproducción de la planta, época de siembra y consejos varios.

Recolección: indicaciones sobre qué partes de la planta hay que cortar, y en qué momento conviene hacerlo.

Empleo: descripción de las diversas aplicaciones de cada planta en la cocina, como planta medicinal y en cosmética.

Ubicación: consejos y sugerencias acerca del lugar idóneo del jardín para plantarla, o si se trata de una planta que se puede cultivar fácilmente en macetas.

Sinónimos: otros nombres con los que se conoce habitualmente a la planta.

Símbolos empleados:

☀ Planta que necesita sol.
◗ Planta que necesita semisombra.
● Planta para sombra.
💧 Regar abundantemente
💧 Regar con moderación (cada tres o cuatro días).
💧 Regar poco (solo en períodos de sequía prolongada, por ejemplo en pleno verano).
▭ Planta que vive bien en maceta.
✿ Planta con flores ornamentales.
❄ La planta se puede congelar.
🌲 La planta se puede secar.

Hierbas anuales y bienales

Las hierbas anuales y bienales hay que volver a sembrarlas cada año, o cada dos, sea porque no toleran nuestros inviernos o porque su ciclo vital es así de corto. Pero su diversidad de aromas hace que valga la pena realizar el esfuerzo.

Anís
Pimpinella anisum

Muchas de las plantas anuales y bienales, como el perifollo, el cilantro, el eneldo, el berro de jardín o la roqueta, se pueden cultivar estupendamente en pequeños arriates o en macetas. Son ideales para disponer siempre de hierbas frescas en la propia terraza o en el balcón. Entre las plantas anuales y bienales también encontramos algunas con flores muy bonitas y ornamentales, como por ejemplo la caléndula, la borraja, el gordolobo o el tagetes. Estas plantas se integran perfectamente en los macizos con flores de verano y no es necesario limitarlas al arriate de las hierbas.

FAMILIA: *Apiaceae*
ALTURA/ANCHURA: 40–60/20 cm
RECOLECCIÓN: finales de verano-principios de otoño
anual

hierba con aroma en especias

Aspecto: apiácea muy aromática con hojas finamente divididas, flores blancas.
Suelo: rico en nutrientes; cálido, ligero.
Cultivo/cuidados: sembrar a principios de primavera/mediados de primavera directamente en el exterior, separar las plantitas a las cuatro o cinco semanas; variar el emplazamiento cada dos años.
Recolección: recoger las semillas maduras, cuando son marrones.
Empleo: las semillas maduras secas y molidas se emplean para aromatizar licores y aperitivos digestivos, así como para condimentar el pan y los platos de la cocina india y mediterránea.
Ubicación: sus delicadas flores combinan muy bien en los arriates con flores de verano como las margaritas.

Al florecer al mismo tiempo, la caléndula y el eneldo dan mucho colorido al arriate de plantas herbáceas.

☀ Sol ☼ Semisombra ● Sombra 🖌 Regar mucho 🖌 Regar con moderación

Albahaca
Ocimum basilicum

Ajedrea de jardín
Satureja hortensis

Borraja
Borago officinalis

FAMILIA: *Lamiaceae*
ALTURA/ANCHURA: 20-50/20 cm
RECOLECCIÓN: principios de verano/principios de otoño
anual

planta que necesita mucho sol

Aspecto: planta densa, de aroma intenso y hojas ovaladas-redondeadas; pecíolos con aristas y flores labiadas blancas
Suelo: rico er. humus, arenoso con limos, rico en nutrientes y cálido; en los veranos fríos y húmedos es mejor cultivarla en macetas
Cultivo/cuidados: en las zonas frias, sembrar a partir de principios de primavera en la repisa interior de una ventana o en pequeños invernaderos (germina con luz): a partir de finales de primavera hay que trasplantarla a macetas individuales o directamente al aire libre; protegerla de los caracoles
Recolección: recoger continuamente hojas tiernas y puntas de los tallos; son más aromáticas antes de la floración; flores comestibles
Empleo: hojas tiernas, brotes y flores para ensaladas, sopas, salsas, platos de carne o pescado, pasta, aceites aromáticos, crema para untar el pan, pesto, mantequilla de hierbas
Ubicación: macetas en lugar soleado
Variedades/especies: albahaca limón (*O. basilicum* «Lemon»); albahaca de hojas rojas (*O. basilicum* «Opal»).

FAMILIA: *Lamiaceae*
ALTURA/ANCHURA: 30-40/20 cm
RECOLECCIÓN: principios de verano/principios de otoño
anual

aroma intenso y picante

Aspecto: planta densa con hojas alargadas en tallos muy ramificados y con flores de color violeta claro; toda la planta desprende un aroma muy intenso.
Suelo: poco exigente, prefiere suelos permeables y con humus.
Cultivo/cuidados: sembrar en cubetas en la repisa interior de la ventana a mediados de primavera o a partir de finales de primavera directamente en el exterior, en este caso es mejor sembrar entre las judías; cubrir las semillas con muy poca tierra (necesita luz para germinar).
Recolección: recoger constantemente hojas y brotes tiernos; es más aromática antes de florecer
Empleo: de sabor intenso para platos fuertes y platos de judías y potajes; se ha de guisar con la comida
Ubicación: mejor en macetas
Variedades/especies: *S. hortensis* «Compactum» es una variedad especialmente densa.

FAMILIA: *Boraginaceae*
ALTURA/ANCHURA: 60-80/20 cm
RECOLECCIÓN: principios de verano/principios de otoño
anual

flores azuladas, floración prolongada

Aspecto: planta muy ramificada con tallos carnosos, hojas elípticas y flores azules en forma de estrella; toda la planta es muy pilosa.
Suelo: con suficiente humedad, calcáreo y rico en nutrientes.
Cultivo/cuidados: sembrar directamente en el exterior, en otoño, o a partir de mediados de primavera; cubrir las semillas con bastante tierra (necesitan oscuridad para germinar); se propaga abundantemente por semillas; las plantas deben estar bastante separadas entre sí para evitar el oídio.
Recolección: se pueden recoger brotes y hojas tiernas en cualquier momento; las flores también son comestibles.
Empleo: los brotes y hojas tiernas tienen un aroma parecido al del pepino y se consumen frescos, ino hay que guisarlos con la comida! Van bien para ensaladas, sopas, salsas, platos de huevo, bebidas (combinados) y postres de fruta; flores como decoración comestible; las hojas grandes se pueden hornear con masa.

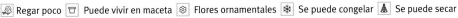

Eneldo
Anethum graveolens

Hinojo
Foeniculum vulgare

Armuelle
Atriplex hortensis

FAMILIA: *Apiaceae*
ALTURA/ANCHURA: 60-120/20 cm
RECOLECCIÓN: mediados de verano/principios de otoño
anual

su aroma atrae a las mariposas

Aspecto: planta con tallos recios y huecos, hojas finamente divididas, flores amarillas.
Suelo: rico en nutrientes, humus y suficientemente húmedo.
Cultivo/cuidados: siembra a mediados de primavera directamente al aire libre; las plantas jóvenes no toleran bien el trasplante ya que tienen raíces muy largas y ramificadas; cambiar su ubicación cada dos años; se pueden recolectar hojas, brotes y flores constantemente; en otoño se recogen las semillas maduras.
Empleo: tallos, hojas y flores se emplean crudos, ¡sin guisar! Va bien para ensaladas, sopas, salsas, marinadas, platos de pescado; con las semillas secas se puede hacer una infusión.
Ubicación: en macizos con matas de similares características.
Variedades/especies: *A. graveolens* «Fernleaf» es más pequeño y permite obtener más hojas ya que florece más tarde.

FAMILIA: *Apiaceae*
ALTURA/ANCHURA: 150-200/60 cm
RECOLECCIÓN: mediados de verano/principios de otoño
vivaz

mata solitaria y de gran porte

Aspecto: mata de gran tamaño con hojas finamente divididas y flores amarillas; toda la planta desprende aroma a anís.
Suelo: profundo (arraiga en profundidad), permeable, rico en nutrientes y calizo.
Cultivo/cuidados: siembra a mediados/finales de primavera directamente en el exterior; también se propaga bien por semillas.
Recolección: se pueden recoger continuamente brotes y hojas tiernas; las semillas se recogen cuando adquieren color marrón.
Empleo: crudo para ensaladas, sopas de pescado o de tomate, salsas, marinadas, platos de pescado, platos de patata; semillas secas para condimentar el pan y bollería o para preparar una infusión contra las flatulencias.
Ubicación: las variedades de hojas cobrizas resultan muy ornamentales en arriates mixtos.
Variedades/especies: hinojo cobrizo (*F. vulgare* variedad «*rubrum*») con hojas de color marrón rojizo.

FAMILIA: *Chenopodiaceae*
ALTURA/ANCHURA: 100-200/30 cm
RECOLECCIÓN: finales de primavera/principios de otoño
anual

cultivada desde la antigüedad

Aspecto: planta grande y de un sólo tallo, con hojas pecioladas de color verde azulado, como si estuviesen espolvoreadas con harina; flores verdes inapreciables.
Suelo: poco exigente, mejor un poco rico en nutrientes, no demasiado seco ni permeable.
Cultivo/cuidados: sembrar a principios de primavera/mediados de primavera en hileras directamente en el arriate.
Recolección: se pueden recoger hojas tiernas y brotes hasta poco antes de la floración.
Empleo: las hojas tiernas y los brotes se consumen como espinacas, en sopas, salsas, platos de verdura, potajes, suflés; planta que se cultiva desde la antigüedad.
Ubicación: la variedad de hojas rojas destaca mucho en los arriates para herbáceas o matas.
Variedades/especies: armuelle de hoja roja (*A. hortensis* variedad «Rubra»); buen Enrique (*Chenopodium bonus-henricus*) tiene aplicaciones similares.

 Sol Semisombra ● Sombra Regar mucho Regar con moderación

Tagetes	Manzanilla	Capuchina
Tagetes tenuifolia	*Matricaria recutita*	*Tropaeolum majus*

FAMILIA: *Asteraceae*
ALTURA/ANCHURA: 25/20 cm
RECOLECCIÓN: principios de verano/mediados de otoño
anual

florece hasta que llegan las heladas

Aspecto: arbustivo, pequeño y compacto con hojas muy divididas y flores de color naranja o amarillo; hojas aromáticas.
Suelo: rico en humus y nutrientes.
Cultivo/cuidados: sembrar a partir de principios de primavera en semilleros colocados en la repisa interna de una ventana, o a partir de mediados/finales de primavera directamente en el exterior; proteger de los caracoles (especialmente las plantas jóvenes). Si se cortan las flores a medida que se vayan abriendo se prolongará la floración.
Recolección: recoger continuamente flores frescas.
Empleo: las flores frescas son comestibles y se pueden utilizar para decorar ensaladas, sopas, platos de huevo, pasta y verduras.
Ubicación: apropiada para macetas y jardineras, así como para bordear arriates.
Variedades/especies: la variedad de *T. tenuifolia* «Red Gem» tiene flores rojas, la «Orange Gem» las tiene naranjas y la «Lemon Gem» las tiene de color amarillo limón.

FAMILIA: *Asteraceae*
ALTURA/ANCHURA: 20-50/25 cm
RECOLECCIÓN: finales de primavera/principios de verano
anual

planta medicinal aromática

Aspecto: planta pequeña y muy ramificada con hojas pequeñas y flores blancas y amarillas; la verdadera manzanilla tiene hueco el interior de la zona amarilla; hierba aromática.
Suelo: pobre en nutrientes, seco y cálido.
Cultivo/cuidados: lo ideal es sembrarla de finales de verano/principios de otoño directamente en el arriate, cubrir las semillas con poca tierra (necesita luz para germinar); invernar las plantitas jóvenes, al año siguiente florecerán en abundancia.
Recolección: recoger las flores tres o cuatro días después de que se abran.
Empleo: las flores, tanto frescas como secas, se emplean para preparar una infusión de efectos relajantes y desinfectantes que se emplea para aliviar dolores de estómago y de vientre, resfriados y afecciones de garganta.
Ubicación: se cultiva bien en macetas.
Variedades/especies: la manzanilla romana (*Anthemis nobilis*) es vivaz y desprende un aroma afrutado.

FAMILIA: *Tropaeolaceae*
ALTURA/ANCHURA: 25-250/45 cm
RECOLECCIÓN: principios de verano/mediados de otoño
anual

planta de floración muy prolongada

Aspecto: planta rastrera o tapizante (también existen variedades compactas) con hojas casi redondas de color verde azulado y flores de color naranja amarillento.
Suelo: arenoso-limoso, ligeramente calcáreo, pobre y cálido.
Cultivo/cuidados: sembrar a partir de mediados de primavera en semilleros colocados en la repisa interior de una ventana. A partir de mediados o finales de primavera también se puede sembrar directamente en el exterior; regar abundantemente durante el crecimiento.
Recolección: recoger constantemente hojas tiernas, flores, yemas y semillas verdes.
Empleo: las hojas y flores tiernas añaden un aroma picante y especiado a las ensaladas, ensaladas de frutas, platos de huevo o de queso y mantequilla de hierbas; las yemas y las semillas verdes se pueden conservar en vinagre como las alcaparras.
Ubicación: en macetas colgantes, sobre postes en las vallas; sobre tocones de árboles.
Variedades/especies: *T. majus* «Empress of India» es una variedad enana con flores de color rojo anaranjado.

Perifollo
Anthriscus cerefolium

Gordolobo
Verbascum densiflorum

Cilantro
Coriandrum sativum

FAMILIA: *Apiaceae*
ALTURA/ANCHURA: 25-50/20 cm
RECOLECCIÓN: finales de primavera/finales de verano
anual

hierba de uso culinario resistente al frío

Aspecto: planta muy ramificada; hojas suaves, divididas, de color verde claro y con un suave aroma a anís; flores blancas en umbela.
Suelo: mullido, rico en humus, profundo (raíces hasta 30 cm), ligeramente húmedo; que no se encharque.
Cultivo/cuidados: sembrar directamente en el exterior a partir de principios de primavera, cubrir las semillas con poca tierra (necesita luz para germinar); lo mejor es efectuar varias siembras consecutivas al año; cambiar de emplazamiento cada dos o tres años; en los lugares con semisombra y ligeramente húmedos se retrasa la floración y se pueden recoger hojas durante más tiempo.
Recolección: recoger hojas tiernas, o toda la planta, antes de la floración.
Empleo: hojas tiernas para ensaladas, sopas, salsas claras, platos de cordero, pescado y huevos; no guisar con la comida.
Variedades/especies: *A. sylvestris* «Ravens Wing» tiene las hojas rojas.

FAMILIA: *Scrophulariaceae*
ALTURA/ANCHURA: 150-200/60 cm
RECOLECCIÓN: mediados de verano/principios de otoño
bienal

preciosa mata con flores

Aspecto: planta de gran tamaño con las hojas dispuestas en roseta cerca del suelo y un gran tallo floral erecto con flores de color amarillo luminoso agrupadas en racimo en su extremo; toda la planta está cubierta por una lanosidad grisácea.
Suelo: calcáreo, rico en nutrientes; cálido.
Cultivo/cuidados: lo mejor es plantarlo en primavera; el primer año forma una roseta de hojas, florece al año siguiente; se propaga abundantemente por semillas.
Recolección: se recogen las flores individuales a medida que se van abriendo.
Empleo: las flores desecadas se emplean para preparar una tisana aromática, dulce y expectorante; las flores frescas también se pueden servir en ensalada.
Ubicación: crece bien en arriates secos y de gravilla, junto con lavanda, salvia, orégano y vara de oro.
Variedades/especies: *V. bombyciferum*; *V. olympicum*.

FAMILIA: *Apiaceae*
ALTURA/ANCHURA: 30-60/20 cm
RECOLECCIÓN: principios de verano/finales de verano
anual

hierba amante del calor

Aspecto: hierba finamente ramificada con hojitas de color verde oscuro y flores en umbela de color blanco.
Suelo: ligero, calcáreo; cálido.
Cultivo/cuidados: sembrar directamente en el exterior a partir de principios de primavera; es preferible efectuar varias siembras consecutivas a lo largo del año; cambiar de ubicación al cabo de dos o tres años.
Recolección: recoger todas las hojas frescas antes de la floración; recoger las semillas cuando se vuelvan de color marrón.
Empleo: hojas tiernas para ensaladas, verduras, carnes, pescados y pollo; también en bebidas (combinados); las semillas secas se emplean para condimentar pan y bollería, salsas para asados, col roja y blanca, estofados, licores.
Ubicación: se presta al cultivo en macetas y jardineras.
Variedades/especies: *C. sativum*.

 ☼ Sol ☽ Semisombra ● Sombra 🪣 Regar mucho 🪣 Regar con moderación

Mastuerzo
Lepidium sativum

Comino
Carum carvi

Coclearia
Cochlearia officinalis

FAMILIA: *Brassicaceae*
ALTURA/ANCHURA: 10-40/5-10 cm
RECOLECCIÓN: finales de
primavera/mediados de otoño
anual

ideal para cultivar dentro de casa

Aspecto: planta ornamental con hojas alargadas y divididas, flores muy pequeñas de color blanco.
Suelo: permeable, con humus; planta poco exigente.
Cultivo/cuidados: sembrar en el exterior en otoño, o a partir de principios de primavera; preferiblemente varias siembras consecutivas al año; se puede cultivar en cubetas en la repisa interior de una ventana o en papel de filtro húmedo.
Recolección: recoger los brotes tiernos y hojas antes de la floración.
Empleo: el germen y las hojas tiernas se emplean frescos para ensaladas, mantequilla de hierbas y platos de queso o huevos, también con pescado ahumado.
Ubicación: ideal para el cultivo en macetas, cubetas y jardineras.
Variedades/especies: el berro (*Nasturtium officinale*) necesita estar en un medio permanentemente húmedo.

FAMILIA: *Apiaceae*
ALTURA/ANCHURA: 60-100/20 cm
RECOLECCIÓN: mediados de
verano/finales de verano
bienal

planta aromática muy apreciada

Aspecto: planta ramificada con hojas aciculares, finas y de color verde oscuro; flores blancas en umbela.
Cultivo/cuidados: sembrar directamente en el exterior a partir de mediados de primavera; cubrir las semillas con poca tierra (necesita luz para germinar), es preferible efectuar varias siembras consecutivas a lo largo del año; cambiar de emplazamiento cada dos o tres años.
Recolección: recoger las semillas maduras cuando adquieren un color marrón; hojas tiernas.
Empleo: las semillas secas (molidas) se emplean como condimento para pan y bollería, platos contundentes de carne, asados, *gulasch*, col blanca o roja, platos de patata, potajes; licores, licor estomacal; infusión para aliviar calambres y gases; hojas tiernas para condimentar ensaladas, sopas y salsas.
Variedades/especies: Comino de la India (*C. copticum*).

FAMILIA: *Brassicaceae*
ALTURA/ANCHURA: 10-40/20 cm
RECOLECCIÓN: todo el año
bienal

hierba rica en vitamina C

Aspecto: hierba de pequeño tamaño con hojas brillantes, perennes y en forma de cuchara; flores blancas muy pequeñas y que desprenden un aroma agradable y dulce.
Suelo: rico en nutrientes y humus, ligeramente húmedo.
Cultivo/cuidados: sembrar directamente en el exterior a principios de primavera/mediados de primavera; si el lugar es lo suficientemente húmedo, se propaga abundantemente por semillas.
Recolección: recoger constantemente hojas frescas; proteger en invierno con tela de saco para poder seguir recogiendo hojas durante los meses fríos.
Ubicación: encaja especialmente bien en la zona inferior de la base de una espiral de herbáceas.
Variedades/especies: las hojas tiernas (¡no se deben guisar!) se emplean, como los berros, para ensaladas, mantequilla de hierbas, platos de queso o huevos y batidos con leche o yogur.

Mejorana
Origanum majorana

Perejil
Petroselinum crispum

Verdolaga
Portulaca oleracea variedad «Sativa»

FAMILIA: *Lamiaceae*
ALTURA/ANCHURA: 15-30/20 cm
RECOLECCIÓN: principios de verano/finales de verano
vivaz

atrae a las abejas

Aspecto: planta atractiva y muy ramificada con hojas pequeñas, de color verde grisáceo y ligeramente pilosas; tallos florales redondos con pequeñas flores de color rosa y blanco; toda la planta es aromática.
Suelo: rico en nutrientes y humus; mullido y cálido.
Cultivo/cuidados: en las zonas frias, sembrar a partir de principios de primavera en invernadero o en semilleros junto a una ventana; o en el exterior a partir de finales de primavera. Cubrir las semillas con poca tierra (necesita luz para germinar); sensible a las heladas, proteger del frío.
Recolección: recoger brotes y hojas tiernas, toda la planta (para secarla antes de que florezca), también flores recién abiertas y semillas.
Empleo: las hojas, brotes, toda la planta, y las flores frescas o secas se pueden emplear para condimentar platos de carne (estofado, gulasch, cordero, pato), platos de patata, potajes y sopas; también en infusiones para fortalecer el estómago.

FAMILIA: *Apiaceae*
ALTURA/ANCHURA: 20/20-30 cm
RECOLECCIÓN: finales de primavera/finales de otoño
bienal

tarda mucho en germinar

Aspecto: planta de color verde fresco con hojas plumosas, rizadas o lisas; flores amarillas en umbelas a principios de verano (en su segundo año).
Suelo: rico en nutrientes y humus, permeable, no demasiado seco.
Cultivo/cuidados: sembrar en semilleros a partir de principios de primavera o directamente en el exterior a partir de mediados de primavera, no trasplantar; mantener el suelo uniformemente húmedo; cambiar su ubicación de año en año, de lo contrario se reduce su crecimiento; añadir compost ocasionalmente.
Recolección: cortar hojitas de sus pecíolos, se puede seguir recolectando durante el invierno si se cubre la planta con tela de saco o ramas de pino.
Empleo: las hojas frescas se emplean como especia (variedades de hoja lisa) y como decoración (variedades de hoja rizada) para ensaladas, sopas, salsas y platos de patata.
Variedades/especies: en el perejil para condimentar (*P. crispum* variedad «Tuberosum») se recogen sus raíces en otoño.

FAMILIA: *Portulaceae*
ALTURA/ANCHURA: 15-30/15 cm
RECOLECCIÓN: finales de primavera/principios de verano
anual

planta muy rica en vitaminas

Aspecto: planta pequeña y muy ramificada con hojas verdes y carnosas, ovaladas y brillantes, y flores pequeñas de color amarillo pálido.
Suelo: mullido, pobre y ligeramente arenoso.
Cultivo/cuidados: sembrar directamente en el jardín a partir de mediados de primavera; cubrir las semillas con poca tierra (necesita luz para germinar); es preferible efectuar varias siembras consecutivas al año.
Recolección: recoger hojas y tallos tiernos, o la planta entera, antes de que florezca; las hojas demasiado viejas tienen un sabor amargo. Las yemas florales también son comestibles.
Empleo: hojas y brotes tiernos para condimentar ensaladas y verduras, salsas, mayonesas, sopas, crema de tomate, quesos; las yemas florales se pueden conservar en vinagre como las alcaparras; las plantas enteras se pueden cocer al vapor como las verduras.
Ubicación: ideal para macetas y jardineras.

☀ Sol ◑ Semisombra ● Sombra 🪣 Regar mucho 🪣 Regar con moderación

Caléndula
Calendula officinalis

Roqueta
Eruca sativa susp. *sativa*

Verdolaga de cuba
Montia perfoliata

FAMILIA: *Asteraceae*
ALTURA/ANCHURA: 15-60/hasta 60 cm
RECOLECCIÓN: principios de verano/mediados de otoño
anual

florece incansablemente durante mucho tiempo

Aspecto: planta de tallos fuertes, hojas alargadas y grandes flores de color naranja amarillento; toda la planta está recubierta de pelo, desprende aroma a hierba.
Suelo: permeable, rico en nutrientes.
Cultivo/cuidados: sembrar de principios a mediados de primavera directamente en el exterior; cubrir las semillas con poca tierra, separar posteriormente las plantitas; no plantarlas demasiado cerca unas de otras para evitar que enfermen de oídio; también se propaga abundantemente por diseminación de semillas.
Recolección: se pueden recoger constantemente pétalos o flores enteras recién abiertas.
Empleo: flores y pétalos como decoración comestible para ensaladas, sopas, mantequilla de flores, verduras; flores secas como condimento para sopas, salsas y arroces.
Ubicación: decorativa en huertos y arriates para hortalizas en los que también contribuye a la salud del suelo.
Variedades/especies: «Fiesta gitana» es una variedad pequeña ideal para macetas y jardineras.

FAMILIA: *Brassicaceae*
ALTURA/ANCHURA: 15-25/10 cm
RECOLECCIÓN: finales de primavera/principios de otoño
anual

aromática y rica en vitaminas

Aspecto: planta erecta con hojas en roseta y flores pequeñas de color blanco; tiene un aroma picante y fuerte.
Suelo: permeable, rico en humus y moderadamente rico en nutrientes.
Cultivo/cuidados: sembrar a partir de mediados de primavera directamente en el exterior o en macetas.
Recolección: se pueden recoger constantemente hojas a ras de suelo antes de la floración; si se cortan los tallos florales se pueden seguir recogiendo hojas durante más tiempo; las flores son comestibles.
Empleo: hojas crudas para ensaladas, verduras, pizzas y pasta; al vapor para verduras y pasta.
Ubicación: se puede cultivar también en jardineras de balcón o terraza.
Variedades/especies: la roqueta silvestre (*E. sativa* subsp. *sylvatica*) es perenne y más aromática; *E. sativa* subsp. *sativa* «Rucola da Orto» es una variedad italiana especialmente aromática.

FAMILIA: *Portulaceae*
ALTURA/ANCHURA: 20-30/20 cm
RECOLECCIÓN: finales de verano-principios de otoño/principios de primavera
anual (también puede invernar)

saludable «berro de invierno»

Aspecto: planta ornamental con hojas verdes, anchas y brillantes dispuestas en roseta y con largos pecíolos; flores blancas y pequeñas.
Suelo: de grano fino rico en humus y nutrientes .
Cultivo/cuidados: sembrar de principios a mediados de primavera (cultivo de primavera) o de finales de verano a principios de otoño (cultivo de otoño con recogida en invierno) directamente en el exterior; cambiar de ubicación a los dos o tres años.
Recolección: las hojas tiernas se cortan con su pecíolo; no cortar demasiado abajo si se quiere que la planta vuelva a brotar; para poder recolectar en invierno es necesario proteger la planta con una arpillera o tela de saco.
Empleo: las hojas frescas tiernas se consumen como berros, pero tienen un sabor más suave; va bien en ensaladas, cremas, platos de huevos y de queso; y al vapor como espinacas.

Hierbas vivaces

Las hierbas vivaces suelen ser plantas que necesitan mucho sol y que le proporcionarán múltiples satisfacciones a lo largo de los años. Al recortarlas regularmente también se consigue que mantengan una forma compacta.

Entre las hierbas vivaces encontramos muchas plantas semiarbustivas como la lavanda, la salvia, el hisopo y la santolina. Colocadas como plantas solitarias en macetas de terracota adecuadas constituyen un punto de atracción en cualquier balcón o terraza; también pueden emplearse para bordear arriates de hierbas, hortalizas o flores. Junto a plantas silvestres como el ajo de oso y el llantén menor encontramos también especies propias del área mediterránea como el laurel, la siempreviva y el romero, así como especies ideales para realizar infusiones, como es el caso de la menta y la hierbaluisa. ¡Hay hierbas para todos los gustos!

Plante hierbas vivaces junto a otras matas con flores y disfrute de la combinación de aromas y colores.

Hisopo de anís
Agastache foeniculum

FAMILIA: *Lamiaceae*
ALTURA/ANCHURA: 60-120/40 cm
RECOLECCIÓN: finales de verano
DESARROLLO: arbustivo

floración prolongada con aroma a anís

Aspecto: mata de crecimiento erecto con hojas parecidas a las de las ortigas; flores de color lila claro con un agradable aroma a anís.
Suelo: rico en nutrientes, cálido y seco.
Cultivo/cuidados: sembrar a partir de mediados de primavera en semilleros; separar y trasplantar las plantas al cabo de cuatro o cinco semanas.
Recolección: recoger brotes y hojas tiernas a partir de finales de verano.
Empleo: sus hojas (frescas o secas) saben a anís y se pueden emplear para infusiones así como para condimentar carnes y pescados.
Ubicación: florece abundantemente de mediados de verano a finales de verano/principios de otoño y luce bien en arriates para matas con bergamota silvestre y milenrama.
Variedades/especies: *A. rugosa*; *A. mexicana* no es muy resistente al frío.

☼ Sol ☼ Semisombra ● Sombra 🜸 Regar mucho 🜸 Regar con moderación

Ajo de oso
Allium ursinum

Artemisa
Artemisia vulgaris

Consuelda
Symphytum officinale

FAMILIA: *Liliaceae*
ALTURA/ANCHURA: 30-40/20 cm
RECOLECCIÓN: mediados de primavera/finales de primavera
DESARROLLO: tapizante

planta de bulbo

Aspecto: hojas grandes, verdes, lisas y acabadas en punta, florece a finales de primavera y sus flores son blancas y en forma de estrella; toda la planta desprende un intenso olor a ajo; las hojas se marchitan unas semanas después de la floración; es fácil confundir esta planta con cólquicas y otras especies similares.
Suelo: rico en humus, calcáreo, algo húmedo.
Cultivo/cuidados: sembrar a principios de primavera al aire libre o plantar los bulbos en verano (a partir de finales de verano/principios de otoño).
Recolección: recoger las hojas tiernas antes de que la planta florezca, que es cuando son más aromáticas; se puede congelar o emplear para aceites aromáticos.
Ubicación: en lugares de semisombra, bajo setos y arbustos.

FAMILIA: *Asteraceae*
ALTURA/ANCHURA: 100-200/60-200 cm
RECOLECCIÓN: finales de verano/principios de otoño
DESARROLLO: voluminoso

para dar una nota de sabor amargo

Aspecto: mata muy ramificada con hojas divididas de color verde oscuro por la cara superior y blanco grisáceo por la inferior.
Suelo: planta poco exigente; suelo seco, pobre y calizo.
Cultivo/cuidados: sembrar en el exterior a principios de primavera/mediados de primavera o a finales de verano; cortar esquejes de las plantas robustas y plantarlos; añadir cal a los suelos ácidos.
Recolección: para condimento, cortar los brotes con las yemas florales todavía cerradas; para infusiones, cortar puntas de tallos con hojas tiernas.
Empleo: las yemas florales añaden una nota amarga a muchos platos y ayudan a digerir las comidas pesadas (por ejemplo los asados); emplear con moderación. Con las hojas se prepara una infusión digestiva que ayuda a evitar los calambres; no se ha de consumir durante el embarazo.
Variedades/especies: *A. vulgaris* «Oriental Limelight» con hojas amarillas y blancas.

FAMILIA: *Boraginaceae*
ALTURA/ANCHURA: 60-100/50 cm
RECOLECCIÓN: finales de primavera/principios de verano
DESARROLLO: arbustivo

atrae a las abejas

   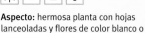

Aspecto: hermosa planta con hojas lanceoladas y flores de color blanco o violeta; toda la planta está recubierta de pelo.
Suelo: poco exigente, pero vive mejor en suelos algo húmedos, aunque también tolera suelos pesados.
Cultivo/cuidados: sembrar al aire libre a partir de finales de primavera, también se pueden cortar trozos de rizoma de las plantas grandes y plantarlos.
Recolección: cortar hojas tiernas a partir de finales de primavera; recoger sus raíces medicinales en primavera o en otoño.
Empleo: las hojas tiernas se emplean en ensaladas, para hacer suflés de queso o al vapor como verdura silvestre; hojas y tallos se emplean para preparar sopas vegetales y similares.
Variedades/especies: Consuelda azul (*S. x uplandicum* «Bocking N.º 14», sin. *S.peregrinum*); *S. officinale* «Cloche de Valours» tiene las flores de un color violeta especialmente oscuro.

Ajedrea de monte
Satureja montana

Siempreviva
Helichrysum italicum, H. angustifolium

Abrótano macho
Artemisia abrotanum

FAMILIA: *Lamiaceae*
ALTURA/ANCHURA: 20-30/35 cm
RECOLECCIÓN: principios de verano/finales de verano
DESARROLLO: denso

atrae a las abejas

Aspecto: arbusto pequeño con hojas aromáticas de color verde oscuro y flores labiadas blancas.
Suelo: calcáreo, pobre en nutrientes y cálido.
Cultivo/cuidados: Sembrar al aire libre a finales de verano (necesita luz para germinar); cortar esquejes de las plantas robustas (mediados/finales de verano); poda de rejuvenecimiento antes de que empiece a brotar.
Recolección: cortar brotes y hojas tiernas; son más aromáticas poco antes de la floración; las flores también se pueden emplear como condimento.
Empleo: para condimentar platos generosos, judías, potajes (guisar con el resto de ingredientes); como hierba medicinal en infusión para aliviar los resfriados.
Ubicación: adecuada para macetas, jardineras, jardines de rocalla y muros de piedra seca.
Variedades/especies: ajedrea limonera (*S. montana* variedad «Citriodora»); la ajedrea reptante (*S. repandens*, sin. *S. spicigera*) puede necesitar protección en invierno.

FAMILIA: *Asteraceae*
ALTURA/ANCHURA: 40-60/35 cm
RECOLECCIÓN: principios de verano/finales de verano
DESARROLLO: arbustivo

necesita mucho sol; desprende aroma a *curry*

Aspecto: pequeño matorral con hojas aciculares perennes de color blanco plateado y flores amarillas en largos tallos florales.
Suelo: ligero y permeable; lugares cálidos y secos.
Cultivo/cuidados: lo mejor es comprar plantas jóvenes y plantarlas o cortar esquejes de plantas fuertes y plantarlos a mediados/finales de verano; hay que efectuar una poda de rejuvenecimiento después de la floración y cubrir la planta con ramas de pino en invierno para protegerla del frío..
Recolección: recoger brotes y hojas tiernas durante toda la temporada.
Empleo: para condimentar arroces, pescado, carne a la plancha y platos de comida asiática; añadir los brotes a la comida cuando ya esté casi lista, si se cocina con el resto de los ingredientes resulta demasiado amargo.
Ubicación: ideal para macetas, jardineras y jardines de rocalla.
Variedades/especies: La siempreviva olorosa, *H. italicum* variedad «Microphyllum», es más pequeña y tiene las hojas de menor tamaño.

FAMILIA: *Asteraceae*
ALTURA/ANCHURA: 60-100/45 cm
RECOLECCIÓN: principios de verano/finales de verano
DESARROLLO: arbustivo

planta con aroma a limón

Aspecto: pequeño arbusto con hojas aromáticas, finamente divididas y de color verde grisáceo; flores amarillentas inapreciables.
Suelo: ligero, permeable y seco.
Cultivo/cuidados: sembrar a mediados de primavera en semilleros, oprimir las semillas ligeramente en el sustrato y mantenerlas húmedas; separar las plantitas a finales de primavera y plantarlas en el exterior; cortar esquejes de las plantas fuertes (mediados/finales de verano) y plantarlos para que arraiguen; poda de rejuvenecimiento en primavera antes de que empiece a brotar.
Recolección: recoger brotes y hojas tiernas.
Empleo: las hojas y brotes, frescos o secos, se emplean para hacer yogures y salsas; también para bolsitas perfumadas. ¡No consumir durante el embarazo!
Ubicación: planta estructural.
Variedades/especies: abrótano de limón (*A. abrotanum* «Citrina»); abrótano de Coca-Cola (*A. abrotanum* «Coca-Cola»).

 Sol Semisombra Sombra 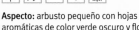 Regar mucho 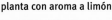 Regar con moderación

Estragón francés
Artemisia dracunculus var. «sativus»

Alquimila
Alchemilla mollis

Santolina
Santolina chamaecyparissus

FAMILIA: *Asteraceae*
ALTURA/ANCHURA: 60-150/50 cm
RECOLECCIÓN: principios de verano/finales de verano
DESARROLLO: denso

una hierba de alta cocina

Aspecto: planta densa de color verde fresco con hojas pequeñas y alargadas y flores diminutas de color verde amarillento; aroma suave y anisado; produce estolones.
Suelo: rico en humus, cálido y suficientemente húmedo
Cultivo/cuidados: se multiplica por esquejes o por división de la mata a finales de verano; proteger en invierno con ramas de pino.
Recolección: recoger hojas frescas y brotes (también con yemas); es más aromática a partir del segundo año.
Empleo: las hojas y brotes frescos se emplean para la elaboración de salsas (bearnesa) así como en ensaladas; en los platos de carne y pescado hay que cocinarla con el resto de los ingredientes; emplear con moderación; va bien para vinagres aromáticos.
Variedades/especies: el estragón ruso (*A. dracunculus* «Inodora») se siembra en semilleros a partir de finales de invierno o en exterior a partir de mediados de primavera; no cubrir las semillas con tierra; tiene un aroma amargo parecido al del perifollo.

FAMILIA: *Rosaceae*
ALTURA/ANCHURA: 30/40 cm
RECOLECCIÓN: mediados de primavera/ mediados de otoño
DESARROLLO: tapizante

empleada tradicionalmente para aliviar dolencias femeninas

Aspecto: planta densa con hojas de borde dentado y largo pecíolo sobre las que se acumulan bonitas gotas de rocío; tiene inflorescencias de color verde amarillento; toda la planta está cubierta de finos pelos plateados.
Suelo: rico en nutrientes y bastante húmedo, también en el borde de los estanques.
Cultivo/cuidados: dividir las plantas fuertes y plantar los trozos de rizoma en otoño o en primavera; poda de rejuvenecimiento después de la floración; se expande notablemente por rizomas y por difusión de sus semillas.
Recolección: se pueden recoger constantemente hojas tiernas y flores.
Empleo: hojas tiernas y flores para ensaladas, sopas, salsas, purés; hojas y flores (frescas y secas) para preparar una infusión que alivia los dolores gastrointestinales (también alivia la diarrea); infusión para mujeres.
Ubicación: en el borde de estanques o arriates y también junto a los rosales.

FAMILIA: *Asteraceae*
ALTURA/ANCHURA: 30/30 cm
RECOLECCIÓN: principios de verano/finales de verano
DESARROLLO: denso

hierba vivaz para bordear los arriates

Aspecto: planta aromática con hojas perennes de color gris plateado; flores amarillas con largos tallos florales.
Suelo: pobre y permeable; lugares secos y cálidos.
Cultivo/cuidados: sembrar a mediados de primavera en semilleros, presionar las semillas ligeramente y mantener el medio húmedo; separar las plantas a principios de verano y plantarlas en el exterior; se pueden cortar esquejes (mediados/finales de verano) de las plantas más fuertes; poda de rejuvenecimiento en primavera antes de que empiece a brotar.
Recolección: hojas tiernas y brotes.
Empleo: las hojas y brotes secos se colocan en bolsitas de tela para perfumar; también va bien para ahumados.
Ubicación: combina bien en los arriates con matas ornamentales, como flox, bergamota silvestre, menta y también como borde para arriates.
Variedades/especies: *S. viridis* tiene las hojas de color verde.

Bergamota silvestre
Monarda didyma

Hierba de San Juan
Hypericum perforatum

Ajo
Allium sativum

FAMILIA: *Lamiaceae*
ALTURA/ ANCHURA: 60-120/50 cm
RECOLECCIÓN: principios de verano/finales de verano
DESARROLLO: denso

preciosa planta con flores

Aspecto: mata de hojas lanceoladas y bonitas flores rojas; todas las partes de la planta desprenden un aroma similar al de la bergamota.
Suelo: humus rico en nutrientes; no ha de ser demasiado seco ya que de lo contrario puede enfermar de oídio.
Cultivo/cuidados: lo mejor es comprar plantas jóvenes y plantarlas en primavera; no colocarlas demasiado juntas; si tienen oídio hay que cortar las partes afectadas.
Empleo: los pétalos rojos se emplean para ensaladas y platos de carne o pescado, dulces, postres; con las flores secas o frescas se prepara la infusión Oswego de efectos expectorantes y digestivos.
Ubicación: combina bien con ajenjo, malvas, rosales e hinojo púrpura.
Variedades/especies: *M. fistulosa.*

FAMILIA: *Hypericaceae*
ALTURA/ANCHURA: 40-70/30 cm
RECOLECCIÓN: finales de verano
DESARROLLO: denso

planta medicinal de flores doradas

Aspecto: planta finamente ramificada con hojas pequeñas, elípticas y con numerosos puntos translúcidos; flores de color amarillo luminoso; las flores y las yemas adquieren un color rojo violáceo cuando son arrancadas de la planta.
Suelo: pobre, seco o moderadamente húmedo y cálido.
Cultivo/cuidados: sembrar en el exterior a partir de finales de primavera o multiplicar las plantas por división.
Recolección: los brotes con flores es preferible recolectarlos en pleno verano, cuando hace calor.
Empleo: las flores y yemas frescas se emplean para preparar un aceite vigorizante y antiséptico; con las hojas, yemas y flores secas se prepara una infusión relajante y tranquilizante.
Variedades/especies: *H. hircinum* es un pequeño arbusto con cuyas hojas se prepara una tisana refrescante.
Sinónimos: hipérico.

FAMILIA: *Liliaceae*
ALTURA/ANCHURA: 30-80 cm
RECOLECCIÓN: mediados de verano/principios de otoño
DESARROLLO: erecto

planta aromática de bulbo

Aspecto: planta de bulbo con hojas herbáceas y flores blancas.
Suelo: cálido, con humus y mullido; nunca pesado ni demasiado húmedo.
Cultivo/cuidados: en las variedades de invierno hay que plantar los dientes de ajo a mediados de otoño; las de primavera se plantan a principios de primavera; el ajo hay que plantarlo cada año en un arriate diferente; tampoco hay que plantarlo en lugares en los que el año anterior hubo cebollas o cebollinos; convive bien con zanahorias y fresales.
Recolección: recoger los bulbos cuando el tercio inferior de la planta se ponga amarillo; en primavera también se pueden aprovechar las hojas tiernas.
Empleo: los ajos se emplean frescos para guisar y condimentar, para ensaladas, para untar el pan o para preparar aceite aromático; los ajos bien secos se conservan durante mucho tiempo; en caldo ayudan a combatir infecciones por hongos.
Variedades/especies: el cive chino, *A. tuberosum.*

  Sol Semisombra Sombra Regar mucho Regar con moderación

Lavanda
Lavandula angustifolia

Levístico
Levisticum officinale

Laurel
Laurus nobilis

FAMILIA: *Lamiaceae*
ALTURA/ANCHURA: 30-60/45 cm
RECOLECCIÓN: principios de verano/principios de otoño
DESARROLLO: semiarbustivo

planta aromática y buena compañera para los rosales

Aspecto: semiarbusto perenne con hojas aciculares, color verde grisáceo y flores violetas; toda la planta es aromática.
Suelo: mullido, pobre, calcáreo y cálido.
Cultivo/cuidados: sembrar a partir de finales de invierno en semilleros colocados en la repisa interna de una ventana; a partir de finales de primavera se puede plantar en el exterior o cortar esquejes (mediados/finales de verano) para que arraiguen; poda de rejuvenecimiento antes de que empiece a brotar y después de la floración.
Recolección: brotes y hojas tiernas; flores recién abiertas.
Empleo: hojas y brotes (frescos o secos) para potajes y platos de carne o pescado; cocinar brevemente con el resto de los ingredientes; flores para aromatizar platos dulces; para infusión y para bolsitas de tela perfumadas.
Ubicación: combina bien con rosales, flox y bergamota silvestre; como borde para arriates.
Variedades/especies: la alhucema, *L. latifolia* es más delicada y necesita protección contra el frío.

FAMILIA: *Apiaceae*
ALTURA/ANCHURA: 150-200/102 cm
RECOLECCIÓN: finales de primavera/mediados de otoño
DESARROLLO: denso

mata aromática

Aspecto: mata de color verde fresco con tallos huecos, hojas divididas y flores de color verde amarillento en umbela; toda la planta es aromática.
Suelo: rico en humus y nutrientes, profundo, húmedo y algo calcáreo.
Cultivo/cuidados: sembrar al aire libre a partir de principios de primavera, a finales de verano se pueden sembrar las semillas de cosecha propia; separar las plantas a mediados de primavera o a finales de verano/principios de otoño, abonarlas con compost y regarlas en abundancia.
Recolección: recoger las hojas tiernas en cualquier momento; las raíces a finales de verano/principios de otoño.
Empleo: hojas frescas para ensaladas, carnes, sopas, potajes y legumbres (hervir junto con estas); con las raíces se prepara una infusión diurética que limpia la sangre y refuerza el estómago; las hojas se emplean también para aromatizar licores y digestivos.
Ubicación: combina bien con hinojo, ruibarbo y rábano rusticano.

FAMILIA: *Lauraceae*
ALTURA/ANCHURA: 100-200/40 cm
RECOLECCIÓN: finales de primavera/mediados de otoño
DESARROLLO: arbustivo, arborescenteo

hermosa planta de hoja perenne

Aspecto: árbol o arbusto de hoja perenne sensible a las fuertes heladas. Sus hojas son alargadas, acabadas en punta y coriáceas; florece a finales de primavera, las flores son pequeñas, de color blanco crema y sólo aparecen en plantas de una cierta edad.
Suelo: limoso y permeable.
Cultivo/cuidados: comprar plantas jóvenes o cortar esquejes de plantas robustas y plantarlos para que arraiguen (finales de verano/principios de otoño); hibernar a 0-6 ºC en un lugar luminoso y bien ventilado, pero sin dejar que llegue a secarse; podar a principios de primavera (para dar forma o rejuvenecer). No cortar las hojas; administrar fertilizante líquido durante la fase vegetativa.
Recolección: se pueden recoger hojas frescas en cualquier momento.
Empleo: hojas frescas o secas para condimentar carnes o verduras, potajes; para aceite aromático.
Ubicación: atractiva planta de jardinera, se le puede dar forma de esfera, cono o pirámide, o podarlo como un pequeño árbol.

 Regar poco Puede vivir en maceta  Flores ornamentales ❄ Se puede congelar ♠ Se puede secar **107**

Rábano rusticano
Armoracia rusticana

Orégano
Origanum vulgare

Menta piperita
Mentha x piperita

FAMILIA: *Brassicaceae*
ALTURA/ANCHURA: 15-30/15 cm
RECOLECCIÓN: finales de verano-principios de otoño/mediados de primavera
DESARROLLO: expansivo

raíces picantes

Aspecto: hojas largas, inflorescencias blancas en espiga, rizoma reptante.
Suelo: rico en nutrientes y profundo; no ha de ser demasiado seco.
Cultivo/cuidados: en otoño se cortan trozos laterales del rizoma principal de hasta 30 cm y se guardan durante el invierno en arena húmeda en un lugar fresco; a partir de principios de primavera se plantan inclinados y se cubren con unos 5 cm de tierra; abonar ocasionalmente con compost; arraiga con facilidad.
Recolección: recoger trozos gruesos del rizoma.
Empleo: el rizoma fresco se emplea para condimentar carnes, caza y asados fríos; los rizomas limpios se pueden conservar en frascos; el rizoma fresco rallado y con miel es un buen remedio contra la tos y para el resfriado; con los rizomas y hojas se puede preparar un remedio contra las infecciones por hongos.

FAMILIA: *Lamiaceae*
ALTURA/ANCHURA: 30-60/40 cm
RECOLECCIÓN: mediados de verano/principios de otoño
DESARROLLO: denso

atrae a las mariposas

    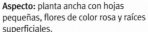

Aspecto: planta ancha con hojas pequeñas, flores de color rosa y raíces superficiales.
Suelo: seco, permeable, pobre en nutrientes, calcáreo, cálido; ¡evitar el encharcamiento!
Cultivo/cuidados: sembrar a mediados de primavera al aire libre; presionar las semillas en el suelo y no cubrirlas con tierra; se multiplica por estolones de las raíces (finales de primavera); en primavera hay que podar casi a ras de suelo.
Recolección: recoger brotes y hojas tiernas; para secarlos resultan más aromáticos durante la floración; las flores también son comestibles.
Empleo: hojas y flores (secas o frescas) para pizza, platos de pasta, carnes, potajes y mezclas de hierbas; para preparar una tisana que alivia los resfriados.
Variedades/especies: el orégano compacto (O. *vulgare* «Compactum») es más pequeño; orégano dorado (O. *vulgare* «Aureum»).

FAMILIA: *Lamiaceae*

ALTURA/ANCHURA: 50-80/30 cm
RECOLECCIÓN: principios de verano/finales de otoño
DESARROLLO: compacto

intenso aroma a mentol

Aspecto: mata con tallos rojos y hojas de color verde oscuro, ovaladas y acabadas en punta; flores pequeñas y de color rosa pálido; todas las partes de la planta huelen intensamente a mentol.
Suelo: humus, ligero y suficientemente húmedo.
Cultivo/cuidados: la menta verdadera es estéril, por lo que habrá que plantar plantitas ya desarrolladas, las plantas grandes pueden dividirse en primavera o aprovechar sus estolones; se extiende mucho, por lo que puede ser necesario poner límite a sus raíces.
Recolección: recoger hojas y brotes tiernos hasta poco antes de la floración.
Empleo: hojas frescas para platos dulces, salsas, pescados, licores; con las hojas secas o tiernas se prepara una infusión para aliviar los resfriados y las molestias gastrointestinales.
Variedades/especies: hierbabuena (*M. spicata* variedad «Crispa»); mastranzo, *M. suaveolens* tiene las hojas manchadas de blanco.

 Sol Semisombra Sombra Regar mucho  Regar con moderación

Pimpinela blanca
Pimpinella saxifraga

Tanaceto
Tanacetum vulgare

Romero
Rosmarinus officinalis

FAMILIA: *Rosaceae*
ALTURA/ANCHURA: 20-50/30 cm
RECOLECCIÓN: finales de verano
DESARROLLO: arbustivo

planta muy poco exigente

Aspecto: mata con pequeñas hojas perennes de color verde azulado e inflorescencias con flores de color verde amarillento o rojizo.
Suelo: calcáreo y algo húmedo; cálido.
Cultivo/cuidados: sembrar directamente en el exterior a finales de primavera y luego separar las plantitas; también se pueden dividir las matas grandes.
Recolección: recoger hojas tiernas (las hojas viejas son duras).
Empleo: ¡emplear sólo fresca!. Hojas tiernas para ensaladas, sopas, salsas claras («salsa de Frankfurt»), mantequilla de hierbas, cremas para untar el pan y bebidas; no cocinar junto con los alimentos.
Ubicación: combina bien con las macetas con fresas y con las cascadas de hierbas.
Variedades/especies: Pimpinela mayor, *Sanguisorba officinalis,* es una hierba silvestre con propiedades medicinales.

FAMILIA: *Asteraceae*
ALTURA/ANCHURA: 80-150/80 cm
RECOLECCIÓN: mediados de verano/principios de otoño
DESARROLLO: expansivo

sirve para preparar un extracto contra los pulgones

Aspecto: mata aromática y densa con hojas de color verde oscuro finamente lobuladas y numerosas florecillas amarillas en umbela; produce fuertes estolones.
Suelo: poco exigente y seco o ligeramente húmedo; no demasiado rico en nutrientes.
Cultivo/cuidados: lo mejor es dividir plantas grandes o cortar sus estolones y plantarlos; hay que tener precaución en los arriates pequeños ya que tiende a extenderse en exceso.
Recolección: se pueden recoger hojas, tallos y flores.
Empleo: el tanaceto no se puede emplear para usos culinarios ni medicinales ya que posee componentes tóxicos; con toda la planta se pueden realizar infusiones y extractos que resultan muy útiles para combatir pulgones, ácaros y otros artrópodos parásitos.
Variedades/especies: *T. vulgare* «Crispum» crece menos y tiene las hojas rizadas.

FAMILIA: *Lamiaceae*
ALTURA/ANCHURA: 50-150/40 cm
RECOLECCIÓN: finales de primavera/principios de otoño
DESARROLLO: arbustivo

planta aromática perenne

Aspecto: semiarbusto de crecimiento erecto con hojas aciculares perennes y flores labiadas de color azul claro.
Suelo: permeable, seco, ligero; cálido.
Cultivo/cuidados: plantar las plantas jóvenes al aire libre a partir de finales de primavera; se multiplica bien por esquejes (mediados/finales de verano) de las plantas fuertes; relativamente sensible al frío, por lo que es mejor hacerlo invernar dentro de casa en un lugar fresco (a unos 10 ºC) y con buena luz; poda de rejuvenecimiento después de la floración.
Recolección: se pueden recoger hojas y brotes en cualquier momento, las flores también son comestibles.
Empleo: hojas, brotes y flores (frescos o secos) para pescados, aves, carnes, cocina mediterránea, platos de patata, mantequilla de hierbas y aceites aromáticos.
Ubicación: resulta vistoso en macetas y jardineras.
Variedades/especies: *R. officinalis* «Arp», «Salem» y «Veitschönheim» son bastante más resistentes al frío.

Salvia
Salvia officinalis

Milenrama
Achillea millefolium

Cebollino
Allium schoenoprasum

FAMILIA: *Lamiaceae*
ALTURA/ANCHURA: 30-80/50 cm
RECOLECCIÓN: principios de verano/principios de otoño
DESARROLLO: arbustivo

ideal para acompañar a los rosales

Aspecto: semiarbusto con hojas de color verde plateado y forma ovalada alargada; flores de color azul violáceo; hojas aromáticas.
Suelo: seco, permeable, calcáreo y cálido.
Cultivo/cuidados: sembrar en el exterior a partir de finales de primavera o multiplicar por esquejes en verano (mediados/finales de verano); poda de rejuvenecimiento en primavera.
Recolección: recoger brotes y hojas frescas; son más aromáticos poco antes de la floración; las flores también son comestibles.
Empleo: hojas para salsas, aceites aromáticos, mantequilla de hierbas (también flores), pasta, pescados y carnes; hornear con la pasta; las hojas se pueden guisar con la comida; con las hojas se puede hacer una infusión para inhibir la sudoración o para hacer gárgaras cuando se tiene dolor de garganta.
Variedades/especies: *S. officinalis* «Purpurascens» tiene hojas de color marrón rojizo; las de *S. officinalis* «Tricolor» son de color blanco, púrpura y gris; *S. officinalis* «Aurea» es amarilla.

FAMILIA: *Asteraceae*
ALTURA/ANCHURA: 40-60/20 cm
RECOLECCIÓN: finales de primavera/principios de otoño
DESARROLLO: arbustivo

bonita planta para los prados de hierbas silvestres

Aspecto: mata arbustiva con hojas de color gris verdoso y flores blancas en umbelas aplanadas; toda la planta es aromática.
Suelo: es una planta poco exigente, pero prefiere suelos secos y pobres.
Cultivo/cuidados: plantar de mediados a finales de primavera plantas jóvenes o dividir las plantas más viejas; poda de rejuvenecimiento después de la floración.
Empleo: hojas y flores frescas para sopas, salsas, mantequilla de hierbas, platos de verduras y patatas, ensaladas y purés; secas para preparar una infusión desinfectante y relajante parecida a la manzanilla.
Variedades/especies: *A. millefolium* «Kieschkönigin» es de color rojo intenso; *A. ptarmica* «Schneeball» tiene flores blancas que necesita lugares húmedos y con semisombra; *A. decolorans* tiene olor a nuez moscada.

FAMILIA: *Liliaceae*
ALTURA/ANCHURA: 15-30/15 cm
RECOLECCIÓN: mediados de primavera/finales de otoño
DESARROLLO: herbáceo

planta de bulbo muy duradera

Aspecto: densos grupos de «hojas» herbáceas o tallos con flores redondas de color rosa violáceo.
Suelo: rico en nutrientes, calcáreo, con humus y bastante húmedo.
Cultivo/cuidados: sembrar directamente en el exterior a partir de mediados de primavera o dividir las plantas grandes y fuertes; para poder recolectar en invierno hay que tomar plantas de dos años que no se hayan recolectado en verano, trasplantarlas a macetas en otoño y colocarlas en un lugar seco al aire libre hasta que se marchiten sus partes aéreas; a partir de principios de invierno se trasladan las macetas a un lugar caliente y se empiezan a regar, así las plantas brotarán de nuevo.
Recolección: recolectar los tallos antes de la floración y recoger también flores recién abiertas.
Empleo: tallos frescos para mantequilla de hierbas, platos de huevo y para condimentar ensaladas, sopas y verduras; las flores son comestibles y sirven para decorar algunos platos así como para hacer mantequilla de flores.
Ubicación: en macetas y jardineras

 Sol Semisombra Sombra Regar mucho  Regar con moderación

Llantén menor
Plantago lanceolata

Perifollo oloroso
Myrrhis odorata

Tomillo
Thymus vulgaris

FAMILIA: *Plantaginaceae*
ALTURA/ANCHURA: 15-30/15 cm
RECOLECCIÓN: mediados de primavera/finales de verano-principios de otoño
DESARROLLO: tapizante

planta de las praderas

Aspecto: mata con hojas lanceoladas en roseta y flores redondas marrones y blancas.
Suelo: planta nada exigente.
Cultivo/cuidados: sembrar a mediados de primavera directamente en el exterior o plantar plantas jóvenes.
Recolección: recoger hojas tiernas (son más aromáticas antes de la floración); pero no hay que cortar las hojas del corazón de la roseta ya que entonces la planta no seguiría creciendo.
Empleo: hojas frescas para ensaladas, sopas y salsas (también las flores), platos de patatas o cereales, asados y rebozados; para una infusión o jarabe contra la tos (también hojas secas); secar las hojas con cuidado y rapidez; no se han de poner marrones ni negras; las hojas recién arrancadas de la planta alivian las picaduras de los mosquitos.
Ubicación: en praderas de hierbas silvestres.

FAMILIA: *Apiaceae*
ALTURA/ANCHURA: 60-150/50 cm
RECOLECCIÓN: finales de primavera/finales de verano-principios de otoño
DESARROLLO: expansivo

planta curativa y ornamental

Aspecto: mata arbustiva con hojas parecidas a las de los helechos; flores blancas en largos tallos florales; las hojas y las semillas tienen un intenso sabor a anís.
Suelo: con humus y rico en nutrientes; no ha de llegar a secarse.
Cultivo/cuidados: sembrar de principios a mediados de invierno en semilleros colocados en el exterior (germina con las heladas); colocar a principios de primavera junto a la ventana y separar las plantitas al cabo de unas semanas, trasplantarlas a partir de finales de primavera; es mejor comprar plantas jóvenes y plantarlas en otoño o en primavera.
Recolección: toda la planta es comestible, incluso las raíces.
Empleo: hojas frescas, flores y semillas verdes para sopas, potajes, purés, platos dulces, ensaladas de frutas y licores; se puede hacer una infusión relajante y digestiva.
Ubicación: combina bien en planteles de matas silvestres con alquimila y geranios.
Sinónimo: mirra.

FAMILIA: *Lamiaceae*
ALTURA/ANCHURA: 20-40/20 cm
RECOLECCIÓN: finales de primavera/finales de verano-principios de otoño
DESARROLLO: tapizante

para céspedes aromáticos

Aspecto: planta pequeña y perenne con tallos finamente ramificados y hojas redondeadas y aromáticas; flores labiadas de color rosa pálido.
Suelo: seco, pedregoso o arenoso y cálido.
Cultivo/cuidados: sembrar directamente en el exterior a partir de mediados de primavera, presionar las semillas ligeramente contra el suelo y no cubrirlas con tierras (necesitan luz para germinar); también se puede multiplicar por esquejes o estolones (finales de primavera-finales de verano); proteger de las heladas con ramas de pino.
Empleo: hojas y flores (secas o frescas) para carnes, cocina mediterránea, aceites aromáticos, mantequilla de hierbas o para preparar una infusión expectorante.
Ubicación: en el césped, en muros de piedra seca, en jardines de rocalla, en macetas.
Variedades/especies: tomillo limonero (T. *x citriodorus*); tomillo comino (T. *herba-barona*).

Aspérula olorosa	Ruda	Ajenjo
Galium odoratum	*Ruta graveolens*	*Artemisia absinthium*

FAMILIA: *Rubiaceae*
ALTURA/ANCHURA: 20-30/20 cm
RECOLECCIÓN: finales de primavera/principios de verano
DESARROLLO: pequeño y denso

bonita planta tapizante para zonas de sombra

Aspecto: mata con muchos tallos finos con hojas y flores pequeñas y blancas; produce estolones.
Suelo: con humus, rico en nutrientes y suficientemente húmedo.
Cultivo/cuidados: plantar de mediados a finales de primavera las plantitas compradas, o cortar estolones de las plantas grandes y plantarlos.
Recolección: cortar los brotes tiernos poco antes de la floración (para algunas recetas se emplean con flores), dejar que se marchiten un poco para que desplieguen su aroma característico.
Empleo: los tallos frescos o secos se emplean para aromatizar y condimentar bebidas, compotas, postres, gelatinas, licores y vinagre. Tomar con cuidado: un exceso puede producir dolor de cabeza.
Ubicación: se expande fácilmente y combina bien con helechos y vincapervinca, también para cubrir el suelo de los setos.

FAMILIA: *Rutaceae*
ALTURA/ANCHURA: 50-70/40 cm
RECOLECCIÓN: principios de verano/finales de verano
DESARROLLO: denso

planta con hojas ornamentales de color verde azulado

Aspecto: semiarbusto con hojas finamente divididas de color verde azulado y flores de color verde amarillo; las hojas son aromáticas.
Suelo: permeable, arenoso, calcáreo y cálido.
Cultivo/cuidados: a partir de mediados de primavera se puede sembrar directamente en el exterior y separar más adelante las plantitas; poda de rejuvenecimiento en primavera antes de que brote.
Recolección: recoger hojas individuales y tiernas; mejor arrancarlas con guantes ya que puede producir irritaciones cutáneas.
Empleo: hojas frescas o secas para condimentar salsas, sopas, carne picada, pescados y huevos; no consumir durante el embarazo.
Ubicación: combina bien con los rosales.
Variedades/especies: *R. graveolens* «Jackmann's Blue» tiene las hojas de color verde azulado; *R. graveolens* «Harlequib» es blanca y multicolor.

FAMILIA: *Asteraceae*
ALTURA/ANCHURA: 80-160/80 cm
RECOLECCIÓN: mediados de verano/finales de verano
DESARROLLO: expansivo

bonita mata de hojas plateadas

Aspecto: semiarbusto muy ramificado con hojas perennes de color gris plateado y muy divididas; flores inapreciables de color blanco amarillento.
Suelo: permeable, seco, arenoso o pedregoso y cálido.
Cultivo/cuidados: plantar en primavera las plantitas (una o dos hileras) o cortar esquejes de las plantas grandes (mediados/finales de verano).
Recolección: recoger hojas y brotes tiernos poco antes de la floración y durante esta.
Empleo: hojas frescas o secas y brotes para aromatizar vinos y estomacales, para condimentar carnes, para preparar una infusión digestiva (amarga); emplear con moderación; no consumir durante el embarazo.
Ubicación: bonita planta estructural.
Variedades/especies: Ajenjo plateado (*A. ludoviciana*); ajenjo romano (*A. pontica*); ambas son más pequeñas y menos amargas.

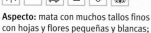 Sol Semisombra • Sombra Regar mucho Regar con moderación

Hisopo
Hyssopus officinalis

Melisa
Melissa officinalis

Hierbaluisa
Aloysia triphylla/Lippia citriodora

FAMILIA: *Lamiaceae*
ALTURA/ANCHURA: 60-100/40 cm
RECOLECCIÓN: mediados de verano/principios de otoño
DESARROLLO: arbustivo

planta aromática para bordear los arriates

Aspecto: semiarbusto con pequeñas hojas aromáticas de color verde oscuro y flores de color azul violáceo en racimos.
Suelo: calcáreo, ligero y seco.
Cultivo/cuidados: sembrar en semilleros a partir de principios de primavera y plantar en el exterior a partir de finales de primavera, o cortar esquejes de plantas grandes (principios de verano); poda de rejuvenecimiento antes de que empiece a brotar y después de la floración (generalmente vuelve a florecer).
Recolección: recoger hojas y brotes poco antes de la floración; las flores también son comestibles.
Empleo: hojas y flores, frescas o secas, para ensaladas, yogures, mantequilla de flores, carnes, verduras, potajes, aceite aromático, infusión para aliviar resfriados y fortalecer el estómago.
Ubicación: con matas o rosales, para bordes de arriates.
Variedades/especies: *Hisopus officinalis* «Albus» con flores blancas; *H. officinalis* «Roseus» con flores de color rosa.

FAMILIA: *Lamiaceae*
ALTURA/ANCHURA: 50-100/55 cm
RECOLECCIÓN: principios de verano/principios de otoño
DESARROLLO: denso y arbustivo

planta para hacer infusiones

Aspecto: mata con hojas ovaladas en tallos de color verde; flores labiadas blancas; intenso aroma a limón; forma estolones.
Suelo: mullido, con humus, profundo (raíces hasta 30 cm de profundidad), rico en nutrientes y no demasiado seco.
Cultivo/cuidados: sembrar de finales de invierno a principios de primavera junto a una ventana (necesita luz); plantar en el exterior a partir de finales de primavera o dividir las matas grandes en primavera; abonar ocasionalmente con compost.
Recolección: recoger hojas tiernas; para secar, cortar tallos enteros a ras de suelo antes de la floración.
Empleo: hojas frescas para ensaladas, salsas, pescados, postres y licores; no guisar con los demás ingredientes; se puede preparar una infusión relajante con hojas secas o frescas.
Variedades/especies: *M. officinalis* «Aurea» tiene hojas amarillas; *M. officinalis* «Limoni» desprende un aroma a limón especialmente intenso; *M. officinalis* «Variegata» tiene manchas blancas.

FAMILIA: *Verbenaceae*
ALTURA/ANCHURA: 30-80/40 cm
RECOLECCIÓN: principios de verano/principios de otoño
DESARROLLO: arbustivo

planta aromática ideal para jardineras

Aspecto: pequeño arbusto de hojas alargadas acabadas en punta y flores de color rosa blanquecino; desprende aroma a limón.
Suelo: con humus, rico en nutrientes.
Cultivo/cuidados: se puede cultivar en macetas o en jardineras; se coloca en el exterior a finales de primavera o hundir la maceta en el arriate; hiberna con luz (si lo ha de hacer con oscuridad, pierde las hojas) y protegida de las heladas (0-10 ºC); poda de rejuvenecimiento en primavera antes de que empiece a brotar.
Recolección: recoger hojas tiernas, brotes y flores; recortarla con frecuencia ayuda a que tenga un crecimiento más denso y atractivo.
Empleo: hojas frescas y flores para ensaladas, postres, ensaladas de fruta, combinados y licores, y también para preparar una infusión refrescante; las hojas secas también se emplean para infusión y para hacer bolsitas aromatizantes.
Ubicación: ideal en macetas y jardineras.
Variedades/especies: la hierbadulce azteca (*Lippia dulcis*) no resiste las heladas.

Otras plantas de uso culinario

Nombre	Información	Aspecto/ Longevidad	Cultivo/ Cuidados	Recolección	Empleo
Berro *Nasturtium officinale*	☼ ☽ ● 💧 🪣	30-60 cm de altura, hojas perennes y brillantes, flores blancas a partir de finales de primavera; vivaz	en arriates húmedos; en cubetas planas (siempre con algo de agua sobre la tierra)	recoger hojas tiernas frescas y brotes	aroma amargo; hojas para ensaladas y salsas
Geranio de olor *Pelargonium* x *citriodorum* «Prince of Orange» y otros	☼ 💧 🪣	30-50 cm; mata pequeña, flores de color rosa a partir de principios de verano, toda la planta es aromática; vivaz	cortar esquejes en primavera o en otoño; invernar en casa en lugar fresco y con luz	recoger hojas tiernas y flores recién abiertas	las hojas frescas se emplean para aromatizar galletas y tartas; flores frescas para infusiones, postres y como decoración comestible, secas para infusión
Siderítide *Sideritis syriaca*	☼ 💧 🪣	30-40 cm de altura; mata compacta con hojas blancas y flores amarillas de principios a finales de verano	plantar de mediados a finales de primavera las plantas jóvenes en un suelo permeable; proteger en invierno con ramas de pino	hojas tiernas y flores	emplear la hierba en flor, fresca o seca, para preparar una infusión vigorizante
Hierba de Santa María *Chrysanthemum balsamita*	☼ 💧	120-150 cm de altura; mata arbustiva con flores amarillas de finales de verano a principios de otoño	plantar de mediados a finales de primavera las plantas jóvenes en suelo mullido o dividir plantas grandes y fuertes	recoger hojas tiernas y flores	aroma a menta entre dulce y amargo; hojas frescas en pequeña cantidad para condimentar carnes y verduras
Magarza *Chrysanthemum parthenium*	☼ 💧 💧	60-100 cm de altura; mata arbustiva con flores en umbela similares a las margaritas, florece de principios a finales de verano	plantar de mediados a finales de primavera plantas jóvenes en suelo mullido o dividir plantas grandes y fuertes	recoger hojas tiernas	fresca y en cantidad moderada para batidos y seca para infusiones; ¡no consumir durante el embarazo!
Berro de Pará *Spilanthes oleracea*	☼ 💧 🪣	unos 30 cm de altura; hojas verdes ovaladas; a partir de principios de verano flores de color amarillo claro, luego rojizas; anual	sembrar al aire libre a partir de finales de primavera, mantener una humedad uniforme	recoger hojas tiernas	condimento picante; agradable en salsas y ensaladas; ¡no guisar con la comida!

☼ Sol   ☽ Semisombra   ● Sombra   💧 Regar mucho   💧 Regar con moderación

Otras plantas de uso culinario

Nombre	Información	Aspecto/ Longevidad	Cultivo/ Cuidados	Recolección	Empleo
Bistorta *Polygonum bistorta*	☼ ⚙	70-90 cm de altura; crecimiento denso y amplio; flores rosas de principios a finales de verano	plantar en primavera las plantas ya desarrolladas; para zonas húmedas de jardines grandes	recoger hojas tiernas y brotes	para ensaladas y verduras silvestres
Mostaza blanca *Sinapis alba*	☼ 🪣 🪴	50-80 cm de altura; planta anual con hojas divididas y flores amarillas de principios a mediados de verano	sembrar a partir de principios de primavera en tierra de jardín mullida y permeable, relativamente poco exigente	recoger hojas tiernas y semillas	hojas frescas para ensaladas, sopas, batidos (similar al mastuerzo), semillas para condimentar
Estevia *Stevia rebaudiana*	☼ 🪣 🪴	50-80 cm de altura; hojas verdes y alargadas, flores blancas y aromáticas a partir de mediados de verano; anual	cultivar en jardineras; invernar dentro de casa en un lugar seco y con luz; poda de rejuvenecimiento	recoger hojas viejas, ya que son las más dulces	hojas frescas o secas para endulzar postres e infusiones (media hoja por taza)
Siempreviva menor *Sedum reflexum*	☼ 🪣 🪴	unos 15 cm de altura; tallos de color verde azulado con hojas pequeñas; flores amarillas a partir de mediados de verano; vivaz	dividir las plantas grandes o cortar esquejes; para jardines de rocalla y muros de piedra seca	recoger brotes tiernos antes de la floración	hojas y brotes para ensaladas, verduras, crema de verduras, salsas de hierbas; ¡no guisar con los demás ingredientes!
Hierba gatera blanca *Nepeta cataria* subsp. *citriodora*	☼ 🪣 🪴	30-40 cm de altura; arbustiva con hojas blandas, flores blancas de mediados a finales de verano	plantar de mediados a finales de primavera las plantas jóvenes en suelo mullido	recoger hojas tiernas, tallos y flores	hojas tiernas, tallos y flores para hacer una infusión relajante; flores frescas para platos de pescado
Cebolleta *Allium fistulosum*	☼ 🪣	60-100 cm de altura; planta perenne de bulbo	sembrar en suelos mullidos a partir de mediados de primavera o plantar bulbos secundarios de plantas grandes	recoger hojas tiernas de primavera a otoño	hojas frescas y tiernas para ensaladas y platos de comida china
Hierba limón *Cymbopogon citratus*	☼ 🪣 🪴	60-120 cm de altura; hojas verdes; intenso aroma a limón; generalmente anual	mejor como planta de jardinera; invernar en lugar seco y con luz	recoger hojas tiernas	hojas frescas o secas para infusión refrescante, ensaladas de fruta y postres; habitual en la cocina asiática

Otras plantas medicinales y silvestres

Nombre	Información resumida	Aspecto/ Longevidad	Cultivo/ Cuidados	Recolección	Empleo
Helenio *Inula helenium*		120-200 cm de altura; mata ornamental y perenne con hojas alargadas y flores amarillas de principios de verano a principios de otoño	plantar de principios a mediados de primavera o dividir plantas grandes y fuertes	recoger raíces en primavera o en otoño	con las raíces secas se prepara una infusión para aliviar los resfriados y mejorar el estómago
Valeriana menor *Valeriana officinalis*		120-150 cm de altura; mata perenne con flores de color rosa blanquecino en umbelas de mediados a finales de verano	plantar de principios a mediados de primavera plantas jóvenes o dividir las plantas grandes	recoger flores en verano y raíces en otoño	con las raíces secas se prepara una infusión tranquilizante y relajante; flores secas para cojines perfumados
Ortiga *Urtica dioica*		100-150 cm de altura; mata densa y perenne; flores minúsculas a principios de verano/ principios de otoño	para rincones «salvajes» del jardín; se propaga por semillas	recoger hojas tiernas y tallos	hojas tiernas y tallos para verdura, sopa, platos de patata, suflés; secas para preparar una infusión desintoxicante
Violeta de olor *Viola odorata*		hasta 10 cm; hojas en forma de corazón; flores aromáticas de color violeta a partir de principios de primavera; forma estolones, perenne	situar en lugares despejados bajo setos y arbustos; se propaga por semillas	recoger flores y hojas frescas en primavera	flores para postres, vinagre aromático, jarabes, licores; secas (hojas, flores, raíces) para infusión contra la tos
Malvavisco *Althaea officinalis*		100-150 cm de altura; mata duradera con hojas pubescentes por ambas caras y flores de color blanco rosáceo	plantar de principios a mediados de primavera plantas jóvenes o dividir plantas grandes	recoger raíces en otoño; hojas y flores en verano	raíces, hojas y flores secas para preparar una infusión contra el resfriado; flores frescas para postres y ensaladas de frutas
Angélica *Angelica archangelica*		100-200 cm de altura; a partir de mediados de verano produce grandes flores de color verde amarillento con tallos florales rojizos; bienal o vivaz	planta destacada para el centro del arriate; se propaga por semillas	recoger hojas y tallos en primavera; raíces a partir de mediados de otoño	hojas y tallos con aroma anisado para ensaladas de fruta y dulces; con las raíces secas se prepara una infusión para aliviar dolores de estómago

   ☼ Sol   ◐ Semisombra   ● Sombra   🪣 Regar mucho   🪣 Regar con moderación

Otras plantas medicinales y silvestres

Nombre	Información	Aspecto/ Longevidad	Cultivo/ Cuidados	Recolección	Empleo
Buen varón silvestre *Potentilla anserina*	☼ ◐ ● 🪣	hasta 10 cm de altura; planta perenne tapizante; hojas plateadas por debajo y flores amarillas	plantar de principios a mediados de primavera las plantas jóvenes o dividir las plantas grandes	recoger hojas y flores	hojas frescas y tiernas para ensaladas, suflés, gratinados; con las hojas y flores secas se prepara una infusión para aliviar calambres y contracciones
Hiedra Terrestre *Glechoma hederacea*	☼ ◐ ● 🪣	hasta 20 cm de altura; planta perenne con hojas redondeadas y flores azules de mediados de primavera a mediados de verano	para prados de hierbas silvestres; se multiplica por estolones	recoger hojas y tallos tiernos en primavera	hojas tiernas para ensaladas, salsas y sopas; emplear con moderación, ¡no guisar con el resto de ingredientes!
Ajera *Alliaria petiolata*	☼ ◐ ● 🪣	hasta 40 cm de altura; hojas en forma de corazón; flores blancas a partir de finales de primavera; toda la planta huele a ajo; bienal	para pradera de hierbas silvestres en lugares húmedos; se propaga por semillas	recoger hojas tiernas en primavera; semillas en otoño	hojas para ensalada de primavera, salsas, pesto; ¡no calentar! Semillas para condimentar como las de mostaza
Diente de León *Taraxacum officinale*	☼ ◐ ●	hasta 10-40 cm de altura; hojas verdes en roseta con el borde dentado; flores amarillas a partir de mediados de primavera; perenne	para prados de hierbas silvestres; se propaga abundantemente por semillas	recoger hojas tiernas, flores y yemas en primavera	hojas amargas para ensaladas de primavera; secas para preparar una infusión diurética; flores frescas para jarabes y licores
Acedera *Rumex acetosa*	● 🪣	hasta 30-50 cm de altura; hojas lanceoladas en tallos con aristas; flores verdes; vivaz	plantar en primavera o en otoño plantas jóvenes; sembrar en otoño	recoger hojas frescas y tiernas en primavera antes de la floración	para ensaladas, sopas, salsas, tortillas; al vapor como las espinacas; consumir con moderación ya que puede irritar el estómago
Primavera *Primula veris*	☼ 🪣	hasta 20 cm de altura; perenne; hojas pilosas blandas en roseta; flores aromáticas de color amarillo luminoso a partir de principios de primavera	situar en lugares despejados bajo setos y arbustos; se propaga por semillas	recoger flores frescas	flores como decoración comestible para ensaladas de fruta y verduras; secas (también raíces) para preparar una infusión contra la tos
Ortiga muerta *Lamium album*	☼ ◐ ● 🪣	30-50 cm de altura; duradera; arbustiva con hojas pilosas y acorazonadas; flores blancas de mediados de primavera a mediados de otoño	plantar en lugares despejados bajo setos y arbustos las plantas jóvenes	recolectar hojas tiernas y flores	hojas tiernas y frescas para ensaladas, verduras y guisos; flores frescas como decoración comestible; flores secas para infusiones

Principios de invierno

- Vigilar la posible presencia de parásitos en las plantas que pasan el invierno dentro de casa, como el romero y la hierbaluisa, y combatirlos en caso de que sea necesario.
- Ventilar ocasionalmente el lugar en el que estén guardadas las plantas y regarlas con moderación cuidando de que no se acumule agua.
- Elegir y encargar tierra de siembra, macetas, semilleros, plásticos y semillas para la próxima temporada.

Mediados de invierno

- Seguir controlando el estado de las plantas en hibernación y regarlas un poco.
- Sembrar las primeras plantas en la repisa interior de una ventana soleada, mantener húmeda la tierra de los semilleros.

Finales de invierno

- Separar las primeras plantas que vayan germinando y sembrar más en semilleros o en un pequeño invernadero.
- Empezar a preparar los arriates y los macizos del jardín en cuanto la tierra se haya secado lo suficiente; iniciar los trabajos de remodelación previstos.
- Primeras siembras al aire libre.
- Podar las hierbas leñosas, como por ejemplo la lavanda.
- Acudir a un centro de jardinería y elegir las primeras plantas de maceta para arriates y ventanas.

El jardín de plantas herbáceas a lo largo del año

Principios de verano

- «Alimentar» arriates y macetas con compost, abonos preparados o extractos de planta de elaboración doméstica.
- ¡Regar, regar y regar! En caso de sequía muy prolongada habrá que regar también las plantas que aguantan bien la falta de agua, como por ejemplo las de los jardines de rocalla.
- Es el mejor momento para recoger las hojas y brotes de aquellas plantas que vayamos a secar o congelar (imprescindiblemente antes de la floración) para su uso posterior.

Mediados de verano

- Seguir regando en caso de que persista la sequía.
- Dejar de abonar a partir de finales de verano, ya que los tallos habrán dejado de crecer.
- Podar las hierbas que ya hayan florecido, como la lavanda o la salvia.
- Cortar los últimos esquejes para que puedan echar raíces antes del otoño
- Sinfonía de verdes en el jardín y en las macetas: es el momento de recolectar hierbas para condimentar y consumir frescas, pero todavía se pueden recoger también para secarlas, congelarlas o ponerlas en aceite.

Finales de verano

- Dividir y replantar las plantas perennes.
- Recoger las últimas hierbas del jardín para secar o congelar, así como las que vayan a consumirse frescas.
- Eliminar las últimas malas hierbas de los arriates.
- Desenterrar los cebollinos que vayan a estar dentro de casa durante el invierno, colocarlos en macetas y ubicar estas en un lugar seco al aire libre.
- Podar a final de mes las plantas de hojas carnosas como la melisa.

El éxito en el jardín suele basarse en saber cómo y cuándo hay que hacer cada cosa: sembrar, plantar, cuidar, recolectar. En este calendario de trabajo verá cuándo hay que hacerlo

Principios de primavera

- Podar y trasplantar las hierbas que han pasado el invierno en el interior; sacarlas luego al exterior (protegerlas eventualmente en caso de heladas).
- Precultivar más plantas en la repisa interior de una ventana soleada.
- Sembrar en los arriates y mantener la humedad constante.
- Cortar los primeros esquejes de las plantas perennes.
- Recolectar plantas silvestres para la «cura de primavera».

Mediados de primavera

- A finales de primavera arranca la temporada de exterior.
- Sembrar al aire libre las plantas sensibles al frío o plantar las compradas o cultivadas dentro de casa; sacar las últimas plantas de maceta.
- Regar periódicamente las plantas sembradas o plantadas; proteger las plantas jóvenes de los caracoles.
- Cubrir arriates y macizos con acolchado para evitar las malas hierbas.
- Ya se pueden recolectar las primeras hojas verdes y brotes de las plantas herbáceas del jardín.

Finales de primavera

- Ahora ya habrán crecido la mayoría de las hierbas de arriates y macetas: ¡empieza la época de la recolección general!
- Aplicar extractos e infusiones de hierbas para proteger y cuidar a las plantas.
- Instalar los sistemas de riego automático para macetas y jardineras y hacer una prueba general antes de salir de vacaciones.
- Regar periódicamente, eliminar las malas hierbas, abonar y vigilar la presencia de parásitos.

Principios de otoño

- Es un buen momento para hacer compost en el jardín.
- Trabajar profundamente los arriates con tierra pesada y limosa.
- Proteger con plástico o ramas de pino las plantas herbáceas típicas del invierno, como por ejemplo la coclearia.
- Proteger con tela de saco las plantas sensibles al frío en caso de que hiele alguna noche; cuando la temperatura no suba de los 0 °C, guardar en el interior las plantas que no sean resistentes al frío prolongado.

Mediados de otoño

- Última oportunidad para llevar a casa las plantas sensibles a las heladas o protegerlas adecuadamente con ramas de pino o tela de saco.
- Envolver con tela de saco o plástico de burbujas las macetas del balcón o terraza.

Finales de otoño

- Regar con moderación las plantas que pasan el invierno dentro de casa.
- Entrar en casa las macetas con cebollinos preparadas anteriormente, colocarlas en un lugar cálido y con buena luz (ante una ventana), y regarlas hasta que empiecen a brotar.
- Repasar libros y revistas en busca de nuevas ideas para el jardín.
- Ordenar las notas que se hayan ido tomando durante la temporada y prepararse para la próxima.

Índice alfabético

Los números en **negrita** hacen referencia a las ilustraciones

Debido a las grandes diferencias climáticas y microclimáticas existentes, hemos establecido los criterios hortícolas pensando en un jardín de una zona templada media, sin grandes heladas invernales ni un calor sofocante en verano. Por lo tanto, cada lector deberá adelantar o retrasar las labores correspondientes dependiendo de si su jardín se halla en una zona más cálida o más fría que la media considerada.

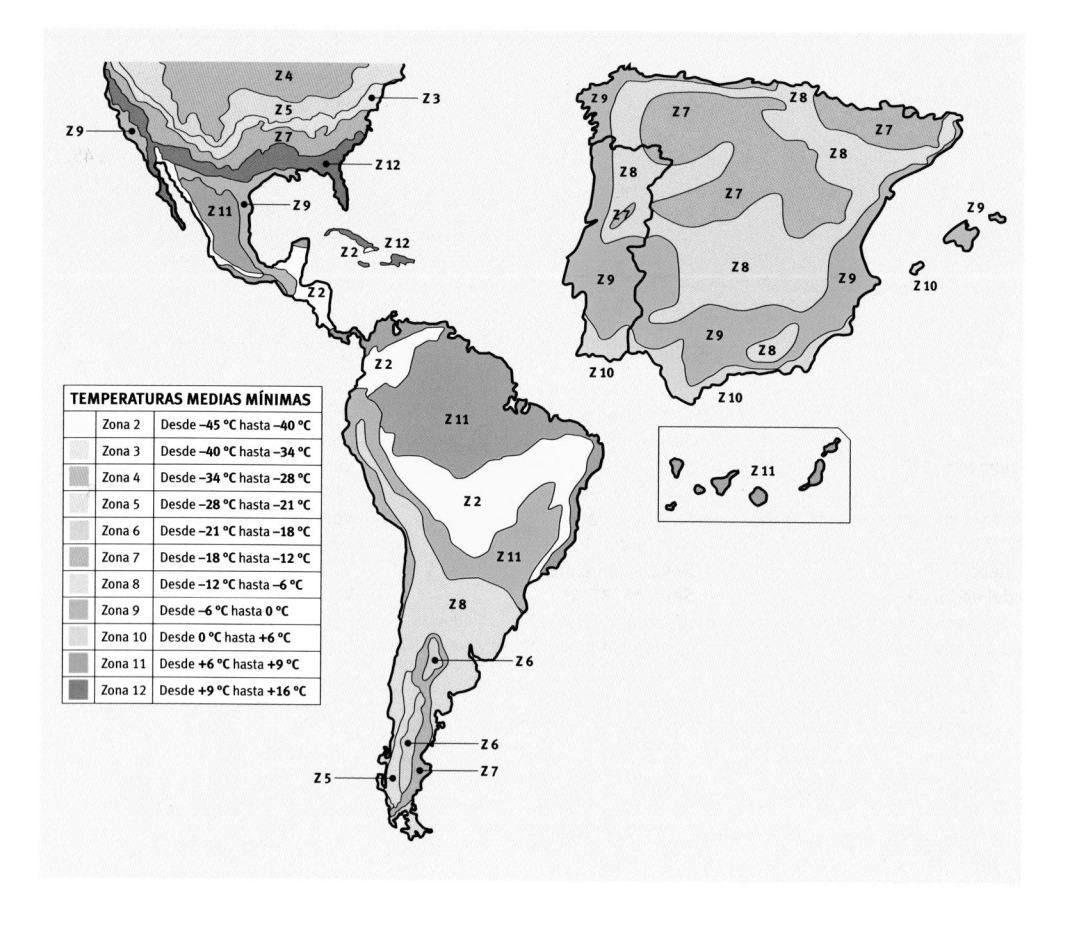

TEMPERATURAS MEDIAS MÍNIMAS	
Zona 2	Desde −45 °C hasta −40 °C
Zona 3	Desde −40 °C hasta −34 °C
Zona 4	Desde −34 °C hasta −28 °C
Zona 5	Desde −28 °C hasta −21 °C
Zona 6	Desde −21 °C hasta −18 °C
Zona 7	Desde −18 °C hasta −12 °C
Zona 8	Desde −12 °C hasta −6 °C
Zona 9	Desde −6 °C hasta 0 °C
Zona 10	Desde 0 °C hasta +6 °C
Zona 11	Desde +6 °C hasta +9 °C
Zona 12	Desde +9 °C hasta +16 °C

123

Directora de la colección: **Carme Farré Arana**

Título de la edición original: **Kräuter**

Es propiedad, 2005
© **Gräfe und Unzer Verlag GmbH,** Munich.

© de la edición en castellano, 2009:
Editorial Hispano Europea, S. A.
Primer de Maig, 21 - Pol. Ind. Gran Via Sud
08908 L'Hospitalet - Barcelona, España.
E-mail: hispanoeuropea@hispanoeuropea.com

© de la traducción: **Enrique Dauner**

Depósito Legal: B. 13793-2009

ISBN: 978-84-255-1856-0

Consulte nuestra web:
www.hispanoeuropea.com

AGRADECIMIENTO

La editorial, la autora y los fotógrafos Manfred Jahreiss y Eva Wunderlich agradecen la amable y desinteresada colaboración de:
Fam. Agthe Selb; www.dabew.com.pl (herramientas de las paginas 28/29); fam. Heine, Selb; fam. Jahreiss, Selb; Harry Lehmann, Waldershoff-Popenreuth; Maite Markowki, Selb; Tanja Müller, Marktredwitz-Lorenzreuth; Brigitte Pohl, Selb; fam. Russwurm, Hohenberg; fam. Schmidt, Selb; Nicole Skala; fam. Volkmann, Selb; Renate Voss, Selb; fam. Wunderlich, Marktredwitz-Lorenzreuth; Günther Wunderlich, Selb.

La editorial también quiere expresar su agradecimiento al vivero Fischer; Pfaffenhofen/Ilm, y a la familia Glasner, Pfaffenhofen/Ilm, por su gentileza y apoyo durante las sesiones fotográficas (páginas 40/41).

ADVERTENCIAS IMPORTANTES
> La mayoría de las especies y variedades que se mencionan en este libro no deben consumirse en exceso.
> Guarde los fertilizantes y demás productos para el cuidado de las plantas en un lugar fuera del alcance de niños y animales domésticos.
> Si se hiere trabajando en el jardín, acuda al médico lo antes posible. Quizá sea necesario administrarle la vacuna antitetánica.

ACERCA DE LA AUTORA
Renate Hudak, ingeniera, está especializada en jardines y trabaja en el jardín botánico de Augsburgo, donde es responsable de asesoramiento urbano, prensa y publicaciones. Su pasión son las plantas herbáceas y desde hace muchos años imparte seminarios sobre este tema.
Más de 210 fotografías de Manfred Jahreiss y Eva Wunderlich, Hans Reinhard, Jutta Schneider, Michael Will y otros prestigiosos fotógrafos de jardines.

Crédito de fotografías:
pág. 1/2: Menta; pág. 4: maceta para fresas con hierbas (arriba a la izquierda), muro de piedra seca con lavanda y tomillo (arriba a la derecha), arriate con acelgas y orégano (abajo a la izquierda), mezcla de flores con tagetes, salvia y lavanda (abajo a la derecha); pág. 24: recolección de romero (arriba a la izquierda), preparación del compost (arriba a la derecha), esquejes de santolina (abajo a la izquierda), hibernación de las plantas (abajo a la derecha); pág. 90: diferentes formas de hojas en tomillo, salvia y siempreviva (arriba a la izquierda), caléndulas (arriba a la derecha), menta (abajo a la izquierda), arriate de hierbas mediterráneas (abajo a la derecha).

Ilustraciones:
Heidi Janicek, München

IMPRESO EN ESPAÑA   PRINTED IN SPAIN
LIMPERGRAF, S. L. - Mogoda, 29-31 (Pol. Ind. Can Salvatella) - 08210 Barberà del Vallès